Comment ça va maman?

Du même auteur

Quelle marmaille, Libre Expression, Montréal, 1980.

Teresa Bloomingdale

Comment ça va maman?

Traduit par Marcel-Marie Desmarais, O.P.

Titre original:
UP A FAMILY TREE

Photo de la couverture:
Mia et Klaus

Maquette de la couverture:
France Lafond

Dépôt légal:
4e trimestre 1982

ISBN 2-89111-120-6

À ma mère Helen Cooney Burrowes
et à mon père Arthur (Bub) Burrowes
avec beaucoup d'amour

Les années 1920.

Aux États-Unis, l'on s'enchante des rythmes saccadés du jazz. L'on s'étourdit à danser le Charleston, et à boire l'alcool distillé dans les alambics clandestins de la prohibition. Tout cela pour oublier les horreurs de la guerre récente et pour s'aveugler devant l'imminence de la pire des crises économiques. Insensibles à la tourmente, deux couples du « Midwest» s'occupent seulement à vivre, dans le bonheur, leur respectif roman d'amour.

Dans le Missouri, le journaliste Arthur (Bub) Burrowes courtise la jolie Helen Cooney tandis que dans le Nebraska, le spécialiste en puits de pétrole Arthur Bloomingdale, a déjà épousé Johanne Coady, une belle fille de l'Iowa.

Pendant vingt-cinq années, ces deux couples vécurent heureux, dans l'ignorance de l'avenir tumultueux qui allait être le leur. Ils ne savaient pas alors qu'ils allaient partager les joies et les peines, les épreuves et les tribulations de leurs enfants et de NOMBREUX petits-enfants.

Les branches de ces deux arbres généalogiques allaient en effet s'emmêler. Les premiers signes de ce phénomène apparurent en 1952. A. Lee Bloomingdale, fils unique de Art et Johanna, avait rencontré Teresa Burrowes, seconde fille de Bub et Helen. Il fut envoûté par sa beauté, son talent et son charme (sans exagération...). Le jeune avocat fit à la jeune demoiselle une cour aussi persistante qu'implacable. (Et malheur à la progéniture qui oserait suggérer le contraire et prétendre que ce fut la jeune fille qui s'agrippa au jeune homme!) Toujours est-il que ces amours aboutirent à un mariage, célébré le 2 juillet 1955, en l'église Saint-François Xavier, de la ville de Saint-Joseph, au Missouri.

Les nouveaux mariés s'établirent à Omaha avec l'espoir bien légitime de mener leur vie dans la paix et la prospérité. Toutefois la réalité fut fort différente: la paix et la prospérité furent sans cesse ajournées par l'arrivée successive de dix enfants qui s'installèrent, comme il se doit, à demeure. La richesse de la famille consista donc surtout en bons mots et en tours pendables. Quant à la paix, il n'en fut plus question...

1
Brise-fer

C'était la veille de Noël, l'an dernier. Comme à l'accoutumée, nous étions réunis autour du sapin illuminé pour l'échange traditionnel des cadeaux. Mon fils, John[1], développa le paquet qui lui était destiné. Quand il vit son présent, une belle machine à calculer, une lueur qui m'était familière passa dans ses yeux. Un sourire ironique aux lèvres, il déclara, s'adressant à ses frères:

— Allons, les gars! Désassemblons ce truc-là et voyons comment ça marche.

Un instant, je le pris au sérieux et je redoutai d'assister à une répétition de ce qui s'était passé tant de fois le soir du 24 décembre. Au bout de quelques heures ou même de quelques minutes, la plupart des jouets gisaient épars, démantibulés par les bambins, curieux de savoir «comment ça marchait».

---

1) *John Joseph Bloomingdale,* le deuxième des dix enfants, est né en 1957. Joli garçon, il passa les douze premières années de sa vie à servir de bouc émissaire à son grand frère. Et les douze suivantes, à être l'idole de ses petits frères. Enfant, son insatiable curiosité le portait à démonter — presque toujours de façon irréparable — tout ce qui lui tombait sous la main, pour en connaître le fonctionnement. Rien de surprenant donc à ce que John ait choisi la carrière d'Ingénieur. (Espérons qu'il apprendra la différence entre assembler et désassembler.)

Presque dès leur naissance, mes enfants paraissent dotés du même talent: sans effort, ils brisent n'importe quoi. Peu importent la qualité d'un produit et la teneur de sa garantie, cet objet peut être démoli par un Bloomingdale.

Mes bambins n'ont pas développé ce talent du jour au lendemain. En fait, ils ne l'ont pas développé du tout. C'est un don inné chez eux.

À peine âgé de six semaines, un bébé Bloomingdale peut arracher une épingle de sa couche, la plier, la serrer dans sa minuscule main jusqu'à ce qu'il puisse s'en servir pour piquer le malheureux ou la malheureuse qui va le changer.

À deux mois, le brise-fer peut casser le plus solide des hochets et se servir des petites billes qui s'y trouvaient à des fins pas très catholiques, comme d'en emplir ses oreilles ou d'en bourrer ses narines.

À six mois, il est capable de sauter sur un fauteuil assez longtemps pour le faire tomber en morceaux. Ou encore, il réussira à se pencher suffisamment hors de sa chaise haute pour basculer.

Avant même d'être assez fort pour se tenir sur ses jambes, le diablotin peut arracher les roues d'un camion-jouet ou la rembourrure d'une poupée. Les ours en peluche et les chiens empaillés se laissent évider sans protester. Il n'en est pas de même pour le chat du voisin.

À deux ans, le mioche est capable de démolir un berceau... même et surtout s'il est occupé.

Mes problèmes se sont multipliés du fait que j'ai eu un bébé pratiquement tous les ans. De plus, chaque nouvel arrivant semblait posséder un pouvoir supérieur à celui de ses prédécesseurs.

À la naissance de ma première fille, j'avais déjà quatre experts en démolition. Le premier à quatre ans était capable de frapper une balle jusque dans la vitre du voisin. Le second, à trois ans, n'éprouvait aucune difficulté à démantibuler le tricycle de son grand frère. Le troisième, à deux ans, se plaisait à bourrer la toilette de blocs pour ensuite déclencher la chasse d'eau. Le quatrième enfin, à un an, aimait faire sauter l'un ou l'autre des barreaux de son parc.

La notoriété de nos garçons comme spécialistes démolisseurs était telle qu'une voisine compatissante, Madame Kelly, acheta un jour un jouet tout nouveau qui venait d'apparaître dans les grands magasins: un camion Tonka. Incassable, il était fait d'acier, sans parties amovibles et sans saillies pointues.

— J'ai tout de suite pensé à vos gamins, dit la sympathique Madame Kelly, quand j'ai vu ce camion. Il est garanti contre tous les assauts.

C'était vrai. Personne jamais ne put le démolir. En fait, il ne fut même pas ébréché quand mon bambin de trois ans s'en servit pour assommer son frère de deux ans. Hélas! C'était la tête de la victime qui n'était pas garantie.

À cause de leur mauvaise réputation, mes garçonnets furent souvent accusés de crimes qu'ils n'avaient pas commis ou même de crimes purement imaginaires. Ils s'habituèrent vite à prendre une attitude défensive et à nier d'avance les accusations possibles.

Il me revient à la mémoire un incident qui se produisit peu après la naissance de ma première fille. Le temps du bain de la petite me parut le moment idéal pour renseigner mes petits bonhommes sur «la différence» entre garçons et filles. Je les rassemblai donc autour de la baignoire et les laissai regarder leur jeune soeur pendant que je la déshabillais. Comme je venais de lui enlever sa couche, avant même que j'aie pu prononcer un seul mot, mon Jim[1] de 3 ans s'écria après avoir regardé sa petite soeur nue:

— Ce n'est pas moi qui l'ai brisée, maman! Parole d'honneur! ça doit être Mike[2].

Tout ce qui marche à l'électricité a toujours passionné mes jeunes. Ainsi se plaisaient-ils parfois à brancher le fer à repasser pour voir quels jolis dessins faisaient ses brûlures sur le tapis. Ou encore, ils actionnaient le malaxeur après l'avoir bourré de bonbons, de gommes à mâcher et de maïs éclaté. Comme autres exploits, il y eut les crayons de couleur insérés dans le grille-pain, les chaussettes poussées dans les sorties de ventilateurs, les pistolets à eau déchargés sur l'arrière d'une télévision.

---

1) *James Burrowes Bloomingdale,* le quatrième des enfants, est né en 1959. Après avoir, pendant dix-huit ans, obéi aux ordres de ses grands frères, accepté, pendant tout ce temps-là, d'être puni pour les espiègleries de ses plus jeunes frères, et surtout subi les tracasseries de ses trois soeurs, Jim s'engagea dans l'armée de sa patrie comme «Marine». Il trouva quasi paradisiaques, en comparaison de ses expériences passées, les exercices d'entraînement, pourtant barbares et inhumains, de ce corps d'élite américain.

2) *Michael Gerald Bloomingdale,* le troisième des enfants, est né en 1958. Jusqu'à l'âge de quatre ans, ses frères le surnommèrent «l'Espion». (Dieu merci, il m'aida par ses délations à venir à bout de Lee et de John.) Hélas, le petit bonhomme ne tarda pas à changer de camp pour devenir lui-même conspirateur. Le coquin prit même la tête du groupe des petits diables. Avec les années, Mike finit par se transformer en un charmant adulte. Mais nous ne pûmes profiter de l'heureuse métamorphose; dès les premières lueurs d'amélioration, le jeune monsieur quitta la maison familiale.

Je pense avoir gardé ma sveltesse du fait d'être si souvent descendue au sous-sol remplacer les fusibles sautés.

Ma femme de journée, la dévouée Marguerite, prétendait que la fascination exercée par l'électricité sur les jeunes Bloomingdale allait finir par la rendre folle. Elle redoutait mes enfants plus que les pires chocs. Mais sa charité lui faisait surmonter sa peur et, chaque semaine, dès son arrivée, elle insistait pour que je m'évade une heure ou deux. «Partez sans crainte, disait-elle. Je vais surveiller de près ces petits démons».

Je me souviens d'une occasion où j'acceptai cette offre alors qu'il y avait déjà sept enfants à la maison. Je décidai d'aller me faire coiffer. À peine avais-je mis le pied dans le salon de beauté que l'électricité manqua. La gérante courut aux renseignements. On lui apprit qu'il s'agissait d'une coupure du courant majeure qui affectait sept États américains. Comme une prompte réparation me paraissait plus que problématique, je décidai de retourner à la maison.

Comme je rentrais, j'aperçus mes petits placés en rang d'oignons le long d'un mur. Marguerite les interrogeait: «Lequel d'entre vous a fait ça? Le coupable fait mieux d'avancer. Autrement je vous punis tous.»

J'intervins, réprimant un sourire.

— Allons, Marguerite! La panne ne se limite pas à notre maison. Elle s'étend à tout le Midwest.

— Mon Dieu! soupira-t-elle. Cette fois, ils ont réussi un dégât plus terrible que jamais. J'en suis désolée, madame. Je les ai pourtant bien surveillés.

Je ne suis pas parvenue à la convaincre de l'innocence de mes garçons. D'après elle, par des machinations diaboliques mystérieuses, ils avaient réussi à endommager un barrage situé à une centaine de milles de chez nous.

Mes enfants se sont toujours montrés champions pour mettre un objet quelconque en morceaux. Mais ils n'ont jamais acquis l'art de replacer les morceaux.

À des endroits aussi inattendus que la boîte à sable, le réfrigérateur ou l'armoire au-dessous du lavabo dans la salle de bains, il nous est arrivé de trouver des objets aussi disparates qu'une lentille de caméra, le capuchon d'un stylo Parker ou un élément difficilement identifiable qui appartenait probablement au téléphone. Nous nous considérions comme veinards si nous retrouvions le reste de la caméra, la partie inférieure du stylo ou le corps principal du téléphone.

Le printemps dernier, en descendant à la cuisine, je trouvai mon mari en train de crier dans le téléphone: «Je vous entends... Comment se fait-il que vous ne m'entendiez pas?» De toute évidence, quelque chose fonctionnait mal.

— Appelle la compagnie, m'enjoignit mon mari. Fais réparer ce truc-là ou fais-le remplacer!

Je lui promis de m'en occuper sans tarder. Mais avant toute démarche, à la suite d'une longue expérience je suppose, je dévissai l'une des pièces d'ébonite de l'appareil. Le microphone manquait! Je le trouvai dans un tiroir, au milieu des couteaux et des fourchettes. Comment se trouvait-il là? Je n'en avais aucune idée. Le temps me manqua pour enquêter, car je vis mon mari au milieu de la cuisine tenant la porte du fourneau. Il avait l'air éberlué de constater que cette porte s'était détachée si facilement.

— J'ai tout juste voulu réchauffer le gâteau, me dit-il, et voilà que la porte m'est tombée des mains. J'imagine que tu peux m'expliquer cette bizarrerie. Juste à cet instant-là, notre Peg[1] — 16 ans —, arrivait pour prendre son déjeuner. Elle intervint:

1) *Margaret Mary (Peggy) Bloomingdale,* la septième des enfants, est née en 1964. Son enfance ne fut marquée d'aucun

— Ah! dit-elle. J'ai oublié de t'avertir, maman. Quand Martha se trouvait ici, hier soir, à un moment donné, le sujet de la conversation tomba sur les fourneaux dont les portes peuvent être enlevées pour un nettoyage plus facile. J'ai voulu voir si notre cuisinière jouissait de cet avantage. J'ai réussi à enlever la porte, mais pas à la replacer.

Pour la replacer, il fallut l'habileté d'un spécialiste qui coûta 50 $.

Parmi les sottises inventées par mes enfants au cours des années, il en est que je suis arrivée à comprendre — et encore? La plupart cependant sont demeurées pour moi des mystères.

Voici quelques exemples de stupidités inexplicables.

Un jour, alors qu'il avait neuf ans, John se dressa sur le bord d'une fenêtre, au troisième étage de notre maison. À bout de bras, en équilibre instable, il peintura sous les gouttières en noir sur le bois fraîchement peint en blanc, et en lettres géantes: JEAN LE GRAND. Bien qu'avec difficulté, j'arrive à comprendre ce haut fait. Ce qui me dépasse, c'est qu'il ait invité son jeune frère de trois ans à grimper près de lui pour tenir le pot de peinture.

événement remarquable: à l'encontre de certains autres jeunes membres de la famille, elle n'a ni mis le feu à la maison ni kidnappé le chat du voisin ni imité la signature de son père sur ses bulletins mensuels. À treize ans, elle entra en pleine adolescence, décida que c'était un stade haïssable de la vie et se précipita au pas accéléré vers la maturité. Aussi bien, à seize ans avait-elle réalisé l'impossible rêve: vivre en adolescente et s'en enchanter de façon adulte. Toujours populaire parmi ses compagnes et compagnons, Peg s'est vu décerner un prix spécial, l'an dernier, en proposant une solution inattendue au problème du travail étudiant pendant les grandes vacances: «Pourquoi ne pas chômer? Il sera tellement agréable de s'asseoir près de la piscine tout l'été!»

Qu'une fille de dix-sept ans soit tellement absorbée par une conversation téléphonique qu'elle arrache par distraction de longues lisières de papier peint, passe encore! Mais ce qui me laisse ahurie et vraiment stupéfaite, c'est que dans une autre pièce, toujours près d'un téléphone, elle ait arraché petit à petit tout un pan de tapisserie.

Qu'un marmot de sept ans, ayant perdu son chez-lui dans une tornade, n'aime pas la nouvelle maison où on vient de l'amener, je n'en suis pas surprise. Qu'il éclate en sanglots et crie: «Je veux retourner chez nous!» Passe encore! J'irai jusqu'à ne pas trop m'étonner qu'il fasse, à coup de pieds, un trou dans la porte de sa chambre. Mais qu'il fasse la même chose dans la porte de la chambre de sa soeur, là, vraiment, je ne saisis plus. Après tout, ce n'est pas sa soeur qui fut responsable de la tornade.

Je suis assez large d'esprit pour admettre que mes enfants puissent briser des objets par accident ou par distraction. Mais je ne marche plus quand je les vois le faire par exprès «pour savoir comment ça fonctionne». Que de fois ils ont démoli leurs montres, leurs radios, leurs stéréos, et même ma voiture pour en connaître le mécanisme.

Dans ma cuisine, se trouve une grande armoire remplie d'objets à demi-refaits qui furent abandonnés en cours de reconstruction. Du moins, je pense qu'ils sont toujours là. Je n'ai pu le vérifier depuis le jour où mon aîné, Lee[1] m'a dit: «La porte de cette armoire est trop gondo-

---

1) *Arthur Lee Bloomingdale III,* le premier des enfants, est né en 1956. Remarquable jeune homme, il survécut non seulement au traumatisme d'être «le premier-né», mais surtout aux taquineries à propos de son titre de noblesse «Le Troisième Lee».

lée. Elle s'ouvre mal. Laisse-moi l'arranger». Dans ses manoeuvres pour l'arranger, il l'a si bien coincée qu'elle n'ouvre plus du tout.

J'espère qu'avec le temps, mes enfants s'assagiront et perdront leur réputation de brise-fer. Hélas, ce n'est pas pour demain! L'autre jour, ma voisine, Mary Jo, prit nerveusement dans ses bras son nouveau-né, tout simplement parce que Patrick(1) avait dit, après un coup d'oeil admirateur sur l'occupant du berceau: «Regarde, Tim(2). Regarde comment il réussit à replier ses petits doigts dans sa main. Je me demande comment il fait cela..., comment ça marche.»

Le jeune Lee passa sa première enfance à organiser des mauvais coups avec ses frères et soeurs, quitte à toujours disparaître de la scène du crime, juste avant que les autres coupables ne soient pris en flagrant délit. (Je ne sais vraiment pas comment il se fait que ses frères et soeurs ne l'aient pas écrabouillé à cette époque-là. En 1977, il épousa une charmante jeune fille, Karen Marie Moore, qui entra dans notre famille de bon coeur et en toute connaissance de cause. (Et pourtant elle a l'air sensée et intelligente).

1) *Patrick Templeton Bloomingdale,* le dixième des enfants, est né en 1969. Le fait d'être le «bébé» de la famille ne l'a jamais ennuyé. Bien au contraire, il a toujours tiré avantage de sa situation. Ainsi il a toujours réussi à convaincre ses grands frères de lui fournir de l'argent de poche et l'équipement nécessaire à ses sports préférés.

2) *Timothy Cooney Bloomingdale,* le neuvième des enfants, est né en 1967. À l'instar de sa soeur Peg, il accéda jeune à une sympathique maturité. Jamais il ne brisa ses jouets ni ne perdit ses mitaines ni ne visa, avec une balle, l'une des fenêtres de la cuisine. Mais voilà qu'au High School, il regressa et se transforma en un organisateur de chahuts en classe!

2

Quelques aspects moins drôles de la vie d'une famille nombreuse

Dans mon livre « Quelle marmaille», j'ai consacré tout un chapitre aux côtés positifs d'une grosse famille: les plaisirs, les rires, les drôleries, la chaleur des échanges, la solidarité, etc.

Pour avoir sans doute lu seulement ce chapitre-là, quatre mille bibliothécaires ont placé « Quelle marmaille!» dans la catégorie des amusantes « fictions», soixante-deux libraires l'ont annoncé comme appartenant au genre « fantaisies», treize critiques ont parlé de ma « créativité» et de mon « étonnante imagination». Au Connecticut, un recenseur est allé jusqu'à m'écrire: « Chère Madame, enlevez vos lunettes roses et dites-nous exactement ce qui en est.» (Certains esprits sombres se plaisent à invertir les proverbes et à dire par exemple: « Après le beau temps, la pluie».)

Je suis prête à admettre qu'une grosse famille comporte de permanents désavantages. Je ne les ai pas énumérés dans mon premier ouvrage pour deux raisons: a) il m'a semblé que les gens placés dans une situation semblable à la mienne n'avaient pas à se faire rappeler leurs misères; b) il m'a paru qu'il valait mieux laisser dans leur ignorance les gens placés dans une situation différente.

Aujourd'hui, ayant égaré mes lunettes aux teintes rosées, je suis disposée à parler de ce qu'il y a de moins comique dans les familles nombreuses.

1) ***L'argent.*** Il en manque toujours. Toutefois, j'ai remarqué que ce problème n'affecte pas seulement les grosses familles. Je m'explique. Contrairement à ce que semble croire ma parenté, mon mari et moi n'avons pas eu nos enfants tous d'un même coup, ni même deux à la fois. Je fus d'abord la mère d'*un* enfant, unique, puis de *deux,* puis de *trois* et ainsi de suite jusqu'à *dix.* Croyez-moi: peu importent le nombre de vos enfants et l'importance de vos ressources monétaires, toujours vos dépenses excéderont vos revenus. C'est là une loi économique inéluctable avec laquelle il faut savoir se débrouiller. Consolez-vous à la pensée que peu de parents finissent leurs jours en prison à cause de leurs dettes.

2) ***Le sommeil.*** Comme l'argent, le sommeil est surtout remarquable par son absence. Mais on ne doit pas attribuer ce fait au trop grand nombre d'enfants mais au trop petit nombre de parents. J'en ai conclu depuis longtemps qu'une famille de plus de deux enfants devrait compter au moins une mère supplémentaire. Je reconnais que, de nos jours, le père assume certaines tâches maternelles, comme de se lever la nuit pour donner le boire au nouveau-né. La mère moderne peut-elle pour autant dormir sur ses deux oreilles? Pas le moins du monde! Elle s'éveille pour répondre aux questions du père moderne: «Le bébé doit-il tout boire, ou seulement une moitié?» «Que faire s'il crachouille?»... «Tu m'as assuré qu'il ne crachouillait pas!» Dans une famille nombreuse, quand le bébé a appris à dormir sa nuit complète, il n'est déjà plus le «nouveau bébé». Et quand le nouveau bébé s'éveille pour son boire nocturne, le vieux bébé s'éveille à son tour et exige qu'on s'occupe de lui. Ainsi ni la mère ni le père ne peuvent dormir, et cela pendant deux décades. Même alors, les permanentes insomnies se continuent.

Car la mère marche de long en large jusqu'à ce que le dernier de ses adolescents soit rentré d'une veillée. Et, pendant ce temps-là, le père non plus ne dort pas, car il se sent coupable de ne pas marcher de long en large, comme sa femme. Vous comprenez maintenant, j'espère, à quel point une seconde maman serait utile. Comme je faisais part de cette brillante idée à ma mère, elle s'exclama:

— Voyons, Teresa! Deux épouses chez vous?... On y verrait au moins vingt enfants!

En tant qu'épouse unique qui n'a pas fermé l'oeil depuis 1956, je recommande fortement aux jeunes couples qui rêvent d'une grosse famille de se préparer à être privés de sommeil en permanence.

3) ***Les vêtements.*** Il y a quelque chose de pire que d'acheter du linge pour plusieurs enfants. C'est de toujours garder l'oeil ouvert sur ces acquisitions pour les empêcher de se perdre ou de s'égarer. De plus, il est à peu près impossible de garder le souvenir de «quoi appartient à qui». Depuis longtemps, j'ai renoncé à identifier les bas, les chaussettes et les sous-vêtements. Tout cela se retrouve, après le lavage, dans une grosse boîte commune où souvent il est impossible de discerner les vêtements masculins des féminins. Je suis délibérément sourde à des cris dans le genre de: «Il m'a volé mes *jeans!* Dites-lui donc de me redonner ma chemise!» (Les problèmes se résolvent d'eux-mêmes plus vite que si je m'en mêle). Depuis longtemps, je connais l'existence de faits étonnants: a) ainsi, je sais que des souliers de garçons peuvent se déplacer d'eux-mêmes et aller d'une chambre à l'autre sans leur propriétaire; b) ainsi encore, j'ai appris que des chaussettes une fois jetées dans la machine à laver peuvent changer de couleur ou de grandeur ou même disparaître complètement. Au long des ans, j'ai de plus appris quelques trucs du métier. Par exemple, si j'achète une chemise qui, à mon avis, fera à merveille à Pat, je la donne

à Tim. Évidemment, Tim refusera de la porter parce que je l'ai choisie, sans son consentement, tandis que Pat, à qui je ne l'ai pas donnée, la lui volera et la portera jusqu'à complète usure. Autre truc: dans la mesure du possible, j'achète des vêtements « neutres », sans boutons spéciaux, sans écussons, sans rien qui puisse les rendre identifiables, je veux dire: sans rien qui les empêche de servir aussi bien aux garçons qu'aux filles.

Je sais depuis longtemps qu'un gant gauche tourné à l'envers devient un gant droit et que, par grand froid d'hiver, même des adolescents consentent à mettre des mitaines.

Je compte parmi mes plus grandes prouesses celle d'avoir convaincu un élève de la maternelle qu'un célèbre Capitaine, adoré des jeunes téléspectateurs, porte souvent des bottes disparates: l'une avec des boucles, l'autre avec une fermeture-éclair. (Pardonnez-moi, cher Capitaine, les mensonges que j'ai inventés en votre nom).

4) ***Qui blâmer?*** N'essayez pas d'y parvenir. Dans une famille nombreuse, tenter de trouver le coupable d'un mauvais coup, autant vouloir saisir sur le plancher le mercure d'un thermomètre brisé. Tâche impossible! Les enfants sont des as dans l'art de se blâmer mutuellement. On assiste, impuissant, aux multiples accusations dont le va-et-vient fait penser à celui de la rondelle au hockey. Pas moyen de connaître la vérité. « Qui a laissé la bicyclette dans l'allée? » demande le papa. « Ça doit être Tim, dit Peg. C'est sa bicyclette. » « Mais c'est toi qui t'en es servie la dernière », réplique Tim. « Pas vrai! s'écrie Peg, furieuse. Ce n'est pas moi, c'est Annie[1]. » Accusée, Annie réagit en criant: « J'ai vu Pat la sortir du garage. » À son tour, Pat

---

1) *Ann Cecilia Bloomingdale,* la huitième des enfants, est née en 1966. Journaliste en herbe, Ann note les épisodes de la vie familiale en des myriades de lettres, agendas et journaux intimes. (Essayez de supporter une adolescente qui passe son

glapit: « J'aimerais mieux mourir que de monter sur cette damnée bicyclette.» À quoi Tim répond: « En fait, tu n'es pas mieux que mort si jamais je te vois sur *ma* bicyclette!» Et les attaques continuent jusqu'au moment où le papa, plus embrouillé que jamais, renonce à son enquête pour goûter enfin un pacifique silence.

5) ***Questions.*** *Plusieurs enfants* égalent *plusieurs questions.* Pas nécessairement plusieurs différentes questions. Par exemple: « Qu'y a-t-il ce soir pour le souper?» Si cette même question est posée par sept enfants en moins de quatre minutes, la maman risque de perdre la tête, surtout si six des sept questionneurs répliquent: « Encore un pain de viande? Ouais!»

Comme partout ailleurs, paraît-il, la question la plus souvent posée dans une famille nombreuse est: « Pourriez-vous me prêter un peu d'argent?» La seule différence, c'est que dans une famille nombreuse, les enfants continuent à la poser sans jamais se lasser même si la réponse est toujours un non catégorique.

6) ***Transport.*** Quand l'un des membres d'une famille nombreuse a besoin de se rendre quelque part pour une heure déterminée, il se trouve toujours un autre membre de la famille qui, à la même heure, doit se trouver à un endroit différent. Pendant des années, j'ai essayé de résoudre ce problème *insoluble.* En vain! J'ai toujours dû m'excuser auprès des enfants d'en conduire certains trop tôt, d'autres trop tard, et d'autres pas du tout. À ceux et celles qui désirent une grosse famille, je conseillerais de s'acheter une maison près d'une ligne d'autobus. Ou mieux encore, d'acheter la ligne d'autobus, car les enfants seront plus souvent dans les autobus qu'à la maison.

7) ***Organisation des menus.*** Une autre quadrature du cercle! Si je prépare un repas pour les douze que

---

temps à écrire!) Elle est déjà éligible à un prix Pulitzer, ayant accompli l'incroyable exploit d'avoir écrit *deux* lettres de remerciements à sa grand-mère, à l'occasion de Noël.

nous sommes, nous pouvons aussi bien nous retrouver seulement trois autour de la table. Si je me contente de réchauffer des restants, nous voilà tous présents, les douze, et pire encore, avec cinq ou six copains invités par mes jeunes. En vingt-cinq ans comme mère de famille, il ne m'est jamais arrivé de préparer juste ce qu'il fallait, ni plus ni moins. Jamais!

8) ***La mémoire.*** Les jeunes, eux, se souviennent de tout: « Je suppose que tu ne viendras pas au banquet de fin d'année à mon collège, puisque tu n'es pas venue à la fête de Saint-Nicolas, à la maternelle.» Au contraire, les parents oublient tout, même les noms de leurs propres enfants: « Toi, là, Tim... Non, Dan[1]... Toi, là, quel que soit ton nom!»

Ces jours derniers, Tim me dit: «Peu m'importe que vous m'appeliez Dan ou Pat, mais j'apprécierais que vous ne m'appeliez pas Betsy.» J'eus beau dire à Tim que je le trouvais le plus sympathique de mes enfants, tout comme dans ma famille Betsy est celle de mes soeurs avec laquelle je m'entends le mieux. Rien n'y fit. Tim me dit son déplaisir d'être parfois affublé d'un nom de fille.

---

1) *Daniel Coady Bloomingdale,* le sixième des enfants, est né en 1963. Jeune homme brillant, sage, spirituel. (Si je vous suggérais de lui demander quelle part de vérité il y a dans cette affirmation, Dan vous dirait: «Pas besoin d'enquêter. Ça crève les yeux que je suis parfait!») Un problème, toutefois. Dan peut débiter à toute allure la liste des monarques européens du dix-neuvième siècle. Il réussit également à énumérer, dans leur ordre chronologique, les aventures de l'astucieux Ulysse décrites par Homère dans l'Odyssée. Dan peut même, sans hésiter, vous nommer les douze derniers vainqueurs du trophée Heisman. Et pourtant! À cette mémoire géniale, il arrive même d'oublier qu'à son école, la classe de chimie a déménagé d'étage.

Voulez-vous d'autres exemples d'oublis impardonnables chez les parents? En voici quelques-uns.

a) Vous demandez à six de vos enfants de ne pas se servir de la porte principale parce que les gonds sont défaillants. Mais vous avez oublié d'avertir le septième... Patatras! quand il entre celui-là, la porte tombe.

b) Vous dites à neuf de vos enfants que vous allez ce soir voir un film au cinéma du quartier, mais vous négligez d'en aviser votre plus vieux (qui, cela va sans dire, parle rarement à ses frères et soeurs). Qu'arrive-t il? À votre retour, des policiers vous attendent, des policiers qui songent à vous inculper d'abandon d'enfants.

c) Samedi dernier, mon mari réprimanda Tim et Pat pour avoir joué à la balle sur le terrain en avant de la maison, fraîchement ensemencé de gazon. Je dus intervenir: «Le dernier ensemencement, lui dis-je, remonte à une quinzaine d'années. Il est possible qu'à ce moment-là tu aies interdit à l'un ou l'autre des enfants de jouer sur la terre encore trop meuble. Mais cette recommandation n'a pu être faite ni à Tim ni à Pat puisqu'ils n'étaient pas encore nés.»

9) ***L'espace.*** Comme pour l'argent, l'offre n'est jamais à la hauteur de la demande.

Au long des années, alors que nos enfants croissaient et se multipliaient, je fus sans cesse obsédée par le souci de leur fournir un espace vital suffisant. (Quand il s'agissait de problèmes d'argent, je ne m'en faisais pas, me confiant entièrement à la Providence pour combler nos déficits. Pour l'espace, c'était une autre paire de manches. Comment un Être d'une immensité infinie pouvait-il comprendre nos besoins dans ce secteur?)

Au cours de nos dix premières années de mariage, nous avons déménagé à une cadence proprement effarante. Chaque fois que nous commencions à nous installer pour de bon dans un nouveau logis, le Seigneur nous envoyait un nouveau «chambreur permanent», et nous étions obligés de chercher une plus grande maison.

Quand nous attendions notre cinquième et *dernier* enfant, (je sais *maintenant* que ce ne devait pas être le dernier, mais je l'ignorais à ce moment-là), nous avons acheté un logis avec quatre chambres à coucher, en étant convaincus qu'il répondait à tous nos besoins. Le contrat déjà signé et enregistré, nous nous sommes aperçus que la quatrième chambre (un solarium) manquait de chauffage et par conséquent demeurait inutilisable par temps froid. Nous avons dû entasser nos quatre jeunes fils en deux couchettes-doubles superposées, tandis que leur petite soeur logeait dans la pouponnière. Trente mois plus tard, nous arrivait un nouveau bébé.

Danny partagea pour un temps la pouponnière avec sa soeur Mary[1]. L'année suivante, Peggy nous arrivait, (avec tambour et trompette). Il fallut transporter le berceau de Danny dans la chambre déjà occupée par nos quatre premiers garçons. Bientôt, l'oxygène manqua dans la chambre surpeuplée. On installa alors l'aîné, Lee, âgé de huit ans, sur un sofa-lit dans la salle de séjour, avec

---

1) *Mary Teresa Bloomingdale,* la cinquième des enfants, est née en 1961. Chou-chou de son père, réponse miraculeuse aux prières de sa mère et venue au monde après quatre garçons, elle s'imposa vite comme leader.

À peine âgée de trois ans, elle réussissait à convaincre ses tyrans de frères de venir prendre le thé avec elle. Pour y parvenir, elle n'hésitait pas à recourir à des arguments-massues comme: «Que préférez-vous, les garçons? Venir à ma réception ou m'accompagner pour dire à maman ce que vous avez enterré dans la cour des Cunningham?» La coalition fraternelle ne tarda pas cependant à prendre fin à cause d'une disparité de langage. Tandis que les garçons s'exprimaient en argot américain, Mary n'utilisait qu'un anglais shakespearien. Produit typique d'une génération féministe, elle désire faire carrière, mais à condition de ne pas être obligée de travailler.

envoi d'un message urgent à Dieu au sujet de notre besoin d'espace vital. Sa réponse!... Annie!

En fait, avant même l'arrivée d'Annie, nous avions décidé de déménager. C'était évidemment l'initiative qui s'imposait. Une affiche en lettres capitales sur la minuscule armoire où John entassait ses trésors, rappelait: «Coin réservé à John. Exclusivement!»

Dès notre arrivée dans la nouvelle maison, John eut sa propre chambre. Quelques années plus tard, alors que nous nous étions transportés dans un home encore plus vaste, John occupa une chambre encore plus spacieuse. Il n'en fut pas plus content. Il passa son adolescence à murmurer entre ses dents: «De l'espace!... j'ai besoin d'espace!»

Présentement, quatre de nos enfants devenus adultes nous ont quitté définitivement. La maison actuelle est si grande que nous avons essayé de persuader nos collégiens et collégiennes de rester avec nous jusqu'à leur mariage. Mais nos grands et nos grandes préfèrent loger dans un dormitorium de collège surpeuplé ou dans une étroite chambre en ville ou dans une caserne aux lits superposés. Et voilà qu'aucun d'eux ne se plaint d'un manque d'espace.

Savez-vous quel est l'aspect le plus lamentable de toute cette histoire? Que des jeunes parvenus à leur maturité aillent s'établir ailleurs, c'est normal! Mais devraient-ils afficher une joie exubérante en nous quittant. Une décente discrétion aiderait nos coeurs à moins saigner.

3

Que préférer? Des garçons? Des filles?

De grands savants travaillent, paraît-il, à un important projet susceptible d'intéresser les couples désireux d'avoir une progéniture. Si ces expériences réussissent, il deviendra possible de choisir le sexe d'un futur enfant.

Je ne puis imaginer rien de plus ennuyeux que d'avoir à affronter un tel problème. Je plains de tout coeur ceux et celles à qui l'on demandera s'ils veulent un garçon ou une fille.

Il ne me paraît pas souhaitable que l'expérience scientifique en cours aboutisse, car elle condamnerait le genre humain à une disparition totale. En effet, si les couples commencent à exprimer leur avis, si l'un des conjoints désire un garçon, l'autre une fille, le temps d'en venir à un accord, ils seront trop âgés pour encore engendrer.

Encore jeunes et féconds, mon mari et moi avons passés de longues et très pénibles heures, à discuter du nom à donner à un futur bébé inattendu. Si nous avions eu à choisir entre un garçon ou une fille (ou même si nous avions eu à décider de la simple existence d'un enfant), Il est probable que nous serions restés sans descendance.

Devant l'initiative de savants qui veulent charger les jeunes parents d'une décision si lourde de conséquences, moi, vieille maman, je me sens obligée d'apporter une opinion fondée sur une longue expérience en la matière.

Parce que mes fils dépassent en nombre mes filles, dans une proportion de deux pour un (sept garçons, trois filles), on m'accuse parfois de préférer les filles. Ce n'est pas vrai! Mes filles, si gentilles, si belles, je ne les aime pas plus que leurs frères un peu mabouls et toujours déconcertants. En vérité, j'ai oscillé souventes fois dans mes attitudes, allant de la prédilection pour les fils au favoritisme pour les filles, et vice versa. De ce fait, j'estime pouvoir formuler un verdict impartial.

Une longue tradition veut que les jeunes mariés désirent commencer leur famille par un garçon: un héritier. Voilà qui est complètement ridicule. Et cela pour une infinité de raisons, dont la plus sérieuse: si vous acceptez des enfants, vous n'accumulerez jamais assez d'argent pour pouvoir laisser un héritage. Alors oubliez l'hypothèse héritier. Pensez seulement en termes de fils et de filles.

À titre de mère qui mit au monde quatre garçons avant d'avoir la chance d'accueillir une fille, je vous conseille, si vous pouvez choisir, de commencer par une fille... une gamine forte et en bonne santé qui pourra un jour agir comme gardienne de ses plus jeunes frères et soeurs.

Par ailleurs, avec une fille comme aînée, vous risquez de subir un dangereux lavage de cerveau. En effet, vous pourriez en arriver à croire que tous les bébés sont fins, gentils, adorables. En conséquence, vous voudriez peut-être en avoir une douzaine. Vous risquez alors une grande déception. En effet, parmi votre douzaine, à cause d'une erreur quelconque de calculs, vous pouvez voir surgir de façon inattendue, un ou plusieurs garçons.

En dépit de ce que vous pensez, je n'entretiens aucun préjugé contre les garçons. Je vais même jusqu'à dire qu'ils sont plus intéressants que les filles en ce que leurs réactions sont plus imprévisibles. Ainsi à un moment donné, le garçon dort à poings fermés dans son berceau. Le moment suivant, c'est-à-dire quand il s'est aperçu que vous étiez sortie de la pouponnière, sur la pointe des pieds, pour aller faire un petit somme sur le sofa dans la pièce voisine, il va se mettre à lancer son berceau contre le mur, non pas tant par malice que pour voir si le berceau tiendra bon ou s'il s'écroulera. (Il s'écroulera!)

Bien sûr, si vous commencez avec un garçon, vous apprendrez plus vite les trucs du métier: par exemple, a) comment clôturer le berceau, b) comment fixer le parc (n'oubliez pas d'en clouer le plancher dépliable, car le gamin trouverait vite le moyen de le replier et de s'évader), c) comment acheter des jouets lavables, incassables etc. Après de telles expériences, quand vous arrivera, comme une bénédiction, une fille, vous en serez si heureux que vous ne remarquerez même pas les petits défauts de la nouvelle venue. (Hélas, elle aussi aura des «fuites d'eau», et elle vous le fera savoir d'une façon claire, bruyante et fréquente.)

D'autres facteurs entrent en ligne de compte pour influencer votre choix. Ainsi les garçons coûtent moins cher. (Attention! Ce principe comporte des exceptions. Aussi ne vous empressez pas de procréer avant d'avoir fini le présent livre).

Il est vrai que les bébés des deux sexes requièrent le même équipement de base: berceau, biberons, parc, chaise-haute, etc. Mais quand on arrive à l'habillement, on note de grandes différences de coût (et c'est la faute des parents bien plus que des bébés). Les mamans sont rarement tentées d'habiller les garçons avec des vêtements de luxe. N'importe quel truc, qui soit chaud et lavable fera l'affaire. Il en va autrement quand il s'agit d'une fille. Aucune maman ne résiste à la tentation de faire la toilette de sa fille, comme elle le faisait pour ses poupées, vingt années auparavant. Robes avec franfreluches, souliers avec boucles, petits bas de fantaisie, cotillons brodés. Il coûte presque aussi cher d'habiller une fille qu'autrefois il vous en coûtait pour habiller votre poupée Barbie.

Si les bébés naissaient à l'âge où ils commencent à marcher, il n'y aurait aucune hésitation à avoir. Toute personne sensée choisirait d'emblée la petite fille plutôt que le petit garçon. (Une décade plus tard, ce serait exactement le contraire.) Heureusement, quand votre fils fête son deuxième anniversaire, vous vous êtes déjà attachée à lui et vous n'êtes pas trop encline à le retourner d'où il vient. (De toute façon, il est trop tard. Le temps de la garantie est expiré.)

Une gamine de deux ans jouera tranquillement avec ses poupées, elle organisera une réception, elle aidera sa maman sans rechigner, avec joie même. Au même moment, un gamin de deux ans prendra un malin plaisir à arracher les tulipes de la voisine, à démonter son tricycle, à lancer une balle vers la fenêtre de votre vivoir. Malgré tout, même avec de la boue sous les ongles, de la gomme à mâcher dans les cheveux, même avec des capacités athlétiques qui causent une hausse constante de vos primes d'assurance, un garçon de deux ans peut être plus attachant qu'une petite fille du même âge, surtout s'il est vôtre. Les garçons de deux ans, fussent-ils à leur pire (et ils s'y tiennent quasiment en permanence) savent gagner le coeur de leur maman. Aussi, quand mes amies me parlent de leurs petits parvenus à l'âge terrible de deux ans (« the terrible twos »), j'ai la conviction que les miens ne furent pas tellement terribles.

Pendant quelques années encore, la balance des préjugés favorables penchera du côté des filles. Au temps de la maternelle, les fillettes continuent de l'emporter facilement en débrouillardise sur les garçons. Alors que le gamin de cinq ans enserre les genous de sa mère et lui murmure en pleurnichant: «Je ne veux pas rester ici. Je veux retourner à la maison», la fillette du même âge s'est déjà présentée à son professeur, à la directrice et aux monitrices de jeux. La gamine ne tarde pas à évoluer à l'aise au tableau noir et dans la distribution des feuilles polycopiées.

Cette supériorité des filles se continue tout au long de l'école élémentaire. Les filles y sont plus appliquées, plus studieuses et plus gentilles. On n'en voit pas qui soient appelées au bureau de la directrice pour expliquer la présence de punaises sur la chaise du professeur. Elles ne sont pas convoquées non plus pour rendre compte du simili-serpent qui s'agite dans la toilette des filles. On peut compter sur elles pour assurer la remise des messages entre élèves et professeurs. Elles font preuve de ponctualité pour les exercices de la chorale et pour les répétitions des saynettes. On ne les voit jamais s'amuser en classe avec des boulettes de papier, se servir d'élastiques pour lancer des projectiles ni émettre des bruits, avec l'espérance qu'ils paraîtront obscènes.

Bien entendu, il existe des parents et même certains professeurs qui trouvent haïssables les gamins de dix ans. On m'a reproché d'avoir un faible pour eux. «Comment pouvez-vous, me demandaient certaines épouses, aimer des gavroches de cette espèce?» Elles eurent la réponse à cette question quand elles devinrent elles-mêmes mamans d'espiègles *de cette espèce.*

À l'école secondaire, la balance des préjugés favorables bascule carrément du côté des garçons.

Vers l'âge de douze, treize ans, après avoir passé les premières années de sa vie à rendre sa mère presque folle, le gamin se transforme en un petit être affectueux, serviable, gentil et courtois. Il ne semble pas y avoir d'explication à cette heureuse métamorphose à moins que

Mère nature ne veuille maintenir un certain équilibre pour empêcher les mamans de sombrer dans le désespoir. Car c'est justement à cette époque-là que «la petite chérie de maman», la fillette qui fut toujours aimable, dévouée et sans problèmes, devient soudainement, rebelle, entêtée, pédante et autoritaire.

Si jamais on choisit une femme comme Présidente des États-Unis, j'espère que les électeurs auront la sagesse d'élire une fille aux premiers stades de son adolescence. Je puis justement offrir présentement une candidate idéale. Ma fille Annie a une réponse à n'importe quelle question, une solution à n'importe quel problème. Sans doute ces réponses et ces solutions n'ont aucun bon sens. Mais nulle objection n'a réussi jusqu'ici à démonter notre Annie. Et comme la confiance en soi est indispensable à un chef, je verrais assez bien ma fille à la Maison Blanche. En fait, je trouve certaines de ses opinions très pratiques. Ainsi quand on débattit à Washington en 1979 le problème du Canal de Panama, Annie proposa la solution parfaite: «Qu'on le leur remette, ce fameux canal, mais comme nous l'avons reçu, c'est-à-dire plein de boue!»

Annie présidente, on verrait la fin rapide des crises au Moyen-Orient. Elle n'aurait ni à envoyer là-bas les Marines, ni à recourir à des embargos ni encore moins à utiliser les armes nucléaires. Une visite officielle, une visite de chef d'État suffirait. Après avoir vécu une semaine sous la férule d'Annie, les plus enragés des terroristes capituleraient.

Les adolescentes se plaignent à longueur de journée. Peut-être avec raison. À cette période de leur vie, tout semble aller de travers. Alors que leur figure est en train de se former, le reste de leur corps tarde à se constituer. En conséquence, on ne peut leur trouver des vêtements qui leur fassent. Les robes d'enfants sont trop petites et celles des femmes, trop grandes. Tout est trop court ou trop long. Rien n'est plus exaspérant que de magasiner avec ces éternelles insatisfaites. Quand on arrive à leur trouver un ensemble qui s'accommode pas trop mal à leur charpente disgracieuse, elles proclament bien haut qu'elles n'aiment pas « de telles laideurs ».

À cette époque, rien ne leur plaît: ni leurs vêtements ni leur école ni leur famille ni leur vie. Leurs amies, prétendent-elles, sont devenues volages, leurs frères et soeurs insupportables, leurs parents et leurs professeurs vieux jeu. Leur vocabulaire se ramène à trois phrases: « Ce n'est pas à mon tour de faire ça! » « Comment se fait-il que vous ne criiez jamais après *lui*?» et « Rien ne m'importe!»

Par ailleurs, le garçonnet de treize ans se conduit et parle d'une tout autre façon. Ses amis lui deviennent indispensables. Plus qu'en gens tolérables, ses parents se transforment à ses yeux, en gens aimables. Même l'école lui semble presque intéressante.

Pour tout résumer, à ce stade, l'esprit du garçon s'ouvre et celui de la fille se ferme.

Quand les jeunes atteignent seize ans, la fameuse balance des préférences bascule une fois de plus. Pourquoi? Parce que, à seize ans, pour des raisons inconnues de tout adulte civilisé, les adolescents des deux sexes peuvent obtenir leur permis de conduire.

Bien qu'une fille de seize ans ait un esprit bien fermé et une bouche bien ouverte, elle jouit d'une incontestable supériorité: elle ne fera jamais monter les primes d'assurance comme le garçon du même âge. Ayant eu quatre fils adolescents à avoir à la même époque le droit de conduire, j'ai facilement les nerfs à fleur de peau quand on aborde ce sujet. Je ne vous ennuierai pas cependant avec l'énumération détaillée de nos dépenses pour nos voitures alors qu'elles étaient conduites par quatre jeunes fous. Je vous dirai seulement qu'il y eut de gros frais pour des accidents, pour des amendes, pour d'incroyables randonnées... (Apprenez qu'il faut douze gallons d'essence pour aller à la bibliothèque et en revenir, soit un kilomètre...) Il y eut aussi, pour augmenter les dépenses, la simple négligence. « Quelqu'un a-t-il vu le bouton de la radio de la Ford?... Et l'allume-cigarettes?... Et les tapis d'avant et d'arrière?... Et les plaques d'immatriculation de la Chevrolet?... »

Comprenez-vous qu'à l'âge de mes enfants, mes préférences soient allées du côté des filles?

Les adolescentes coûtent moins cher que les adolescents, non seulement en frais d'automobile mais aussi en nourriture. Une fille de dix-sept ans, se contente pour subsister, de thé à la cannelle et de rôties non-beurrées. Un garçon du même âge engloutit six gros repas par jour et autant de casse-croûte.

Donc, les jeunes filles se satisfont de peu en transport et en alimentation. Elles se reprennent quand il s'agit de leur garde-robe. Malgré leurs dizaines de robes, elles n'ont jamais « rien à se mettre sur le dos ». Le garçon lui, porte le même chandail et les mêmes *jeans,* nuit et jour, pendant toute une année scolaire. La jeune fille, elle, rougirait d'être vue deux fois avec le même ensemble.

À titre de mère de famille qui a su éviter d'être condamnée à la prison pour dettes impayées, je me permets de donner un conseil aux parents de jeunes en pleine croissance. Obligez vos adolescents à travailler après les heures d'école, ou au moins pendant les vacances d'été, pour qu'ils paient eux-mêmes leurs vêtements, leurs dépenses d'auto, leurs loisirs, leurs amendes pour infractions aux lois de la circulation. Croyez-moi sur parole, vous allez avoir besoin de tous vos dollars pour envoyer ces jeunes au collège.

Et enfin, un conseil encore plus important. Envoyez-les au collège, vos jeunes, et envoyez-les à un collège loin de chez vous. Même si vous vivez dans une ville où les institutions d'enseignement supérieur sont pratiquement à la portée de la main, n'essayez pas d'en profiter. Vous y perdriez à la longue. La nourriture qu'*il* prendrait dans votre réfrigérateur, les vêtements qu'*elle* accumulerait dans sa garde-robe vous coûteraient plus cher que les frais *réunis* de la pension, des cours, des livres et d'autres « choses essentielles» dans un collège à l'extérieur.

Où les envoyer, nos grands étudiants? Pourquoi ne pas vous renseigner sur l'Université de Tombouctou?...

4
Problèmes d'argent

Un beau matin, ma jeune amie Diane m'arriva visiblement très bouleversée. Sympathique, je lui demandai:

— Que se passe-t-il?

Elle répondit, un sanglot dans la voix:

— Mon mari m'a enlevé mon carnet de chèques et mes cartes de crédit.

— Allons! lui dis-je. Ne t'en fais pas! Réjouis-toi au contraire!... Oui, tu en as de la chance!

Je l'encourageai ainsi avant même de connaître les détails de l'incident. Toutes les maîtresses de maison savent comment survient ce genre de crise. À un moment ou l'autre, le mari s'exclame:

— Tu dépenses vraiment trop!... Tu n'arrives jamais à mettre au clair ton carnet de chèques!... Tu n'as pas l'air de savoir comment fonctionnent les cartes de crédit!... Ça ne peut pas continuer comme cela, à la dérive... Je prends charge de toute l'administration.

La pauvre Diane avait dû entendre ce genre de remontrances et elle en était grandement affligée.

— Comment cela a-t-il pu arriver? me demande-t-elle. Mon mari n'a pourtant rien d'un phallocrate aux vues étroites. Il est entièrement en faveur de la libération de la femme, pour l'égalité des droits et des responsabilités... et tout le tremblement.

—Je te le répète, dis-je, ne t'en fais pas! Cela ne durera pas.

Je parlais d'expérience. Il y a tant d'années que je jongle avec les comptes à découvert, les soldes débiteurs... et un mari plutôt indulgent. Diane enchaîna:

—Que veux-tu dire par «Ça ne durera pas»?

—Voici. Ton mari va se battre contre les banques. Il va discuter avec les ordinateurs. Il va s'empêtrer... Je ne lui donne pas six mois pour te remettre la charge de tout ce fouillis... Pour le moment, je ne comprends pas ton désappointement... En toute franchise, j'ai toujours envié les épouses qui ont à se débrouiller avec une allocation fixe, alors que le mari paie les factures et s'occupe de la comptabilité.

À propos, une question me vient à l'esprit. Comment et à quelle époque les épouses tombèrent-elles dans le piège de la comptabilité? Depuis quand les mères de famille acceptent-elles d'ajouter à leurs autres besognes la tâche fastidieuse de payer les comptes, d'équilibrer le budget, de voler Pierre pour payer Paul et, enfin, de jouer à cache-cache avec les soldes débiteurs? Quand ce travail traditionnellement masculin devint-il féminin?

Ma réaction vis-à-vis des finances ressemble-t-elle à celle de toutes les femmes? Je l'ignore. Chose certaine, je suis allergique à l'argent. Quand j'ai à dépenser, j'en ai des sueurs froides. Quand j'ai à rendre compte de mon administration, le coeur me lève. Je déteste même la simple vue de l'argent. Le mois dernier, je trouvai un billet de cinq dollars dans une bourse mise de côté depuis l'été dernier. Ce fut l'occasion d'une crise familiale. L'un de mes fils prétendit que ce billet de banque lui appartenait. (Par quel miracle était-il venu se loger dans *ma* bourse?) L'une de mes filles le revendiqua pour elle. N'avait-elle pas emprunté ma bourse au mois d'août? Elle était «presque certaine» d'y avoir laissé de l'argent. Témoin de ce débat, mon mari se souvint tout à coup que je lui devais cinq dollars. Sur les entrefaites, je fus appelée ailleurs. Toujours est-il qu'avant tout éclaircissement de la situation, ma bourse avait disparu. Quand je la retrouvai, (vous l'avez deviné), le billet n'y était plus. Comme il fut impossible de découvrir le coupable, j'imposai une punition générale, quitte à entendre des protestations véhémentes comme: «Je n'ai jamais touché à un sou qui ne m'appartenait pas!», «C'est injuste!», «J'ignorais avoir des soeurs et des frères voleurs et menteurs!»

Comprenez-vous pourquoi je déteste l'argent?

Néanmoins, évitons tout malentendu. Je ne déteste pas la richesse. (Comment le pourrais-je? Non seulement je n'ai jamais vécu avec elle, mais encore je ne l'ai même jamais rencontrée.) J'ai en horreur, non pas la vie dans le luxe, mais bien «le fric», «le pognon», ces cinq cents, ces dix cents et ces dollars qu'il est si difficile d'amasser, si ardu de garder et dont il est impossible de rendre compte à qui de droit.

L'argent n'a cessé de compliquer ma vie et cela depuis mon quatrième anniversaire de naissance. Au matin de ce jour lointain, mon père m'avait donné une pièce de cinq cents, toute neuve, à l'effigie de Jefferson. Je fus dans un grand embarras, car je ne savais pas comment m'en servir. Oh! j'en connaissais la valeur: cinq tablettes de gomme à mâcher, une tablette de chocolat ou enfin une bouteille d'eau gazeuse. Hélas! ma fortune m'était bien inutile car j'étais «consignée» à la maison. J'imagine que bien peu d'enfants de quatre ans obtiennent la permission de se rendre, seuls, au magasin de bonbons.

Après sérieuse réflexion, je fis la seule chose faisable. Je confiai ma belle pièce de monnaie au jeune fils de nos voisins, avec mission de m'acheter une tablette de chocolat. Avec ses sept ans, il avait, lui, le droit de traverser les deux rues qui nous séparaient de la confiserie. Inutile de vous dire que je n'ai jamais revu mes cinq cents, que je n'ai pas reçu la tablette attendue, que je dus me contenter d'explications confuses, proférées par une petite bouche toute barbouillée de chocolat.

Pour comble de malchance, le soir de cette triste journée, mon père me demanda ce que j'avais fait de mes cinq sous. Commença alors une épreuve qui s'est appesantie sur mon destin tout au long de mon existence: expliquer à l'homme-de-ma-vie comment, où et pourquoi j'avais dilapidé *son* argent.

Bien sûr, j'eus un répit pendant mes années d'école élémentaire et secondaire. Sans vergogne, j'exploitai alors mes parents, considérant comme m'étant dues les nécessités et même les somptuosités de la vie. Et la reddition des comptes à cette époque? Rien de bien compliqué! J'utilisais l'excuse à laquelle ont recours tous les écoliers depuis des siècles: « Tous mes sous ont passé dans l'achat de fournitures scolaires».

C'est à l'âge de dix-huit ans que je fus happée par la tornade qui emprisonne tant de pauvres innocents. J'ouvris un compte courant.

Les comptes courants sont de diaboliques inventions créées supposément pour nous éviter de souiller nos mains au contact du « sale fric». Le système paraît tout simple. On dépose ses chèques de paie à la banque, on acquitte ses dettes avec des chèques. De la sorte, on ne touche jamais, au grand jamais, au « vil argent».

Sans doute, avec un compte courant, vous n'aurez plus à manipuler de sous ni de dollars. Mais ce que les gens de la banque ne vous disent pas, c'est que vous ne saurez plus jamais le montant exact de vos avoirs (quoique, soyez-en sûr, ce montant sera toujours inférieur à ce que vous pensez!).

Quand vous faites affaire avec une banque, n'oubliez jamais deux faits importants.

1) Lorsque vous déposez de l'argent, sachez que ce montant va prendre cinq jours pour voyager du comptoir du caissier jusqu'au bureau du comptable, de l'autre côté de la pièce. Mettez deux ou trois autres jours pour que l'ordinateur soit atteint et vous crédite le montant déposé.

2) D'autre part, quand vous signez un chèque, vous devez vous souvenir qu'il passera du caissier au comptable, du comptable à l'ordinateur, de l'ordinateur à votre compte en dix-sept secondes!

Ces détails en mémoire, vous comprendrez plus facilement comment un chèque présenté à midi juste le cinq juillet pourra être marqué du stigmate infamant « refusé pour provision insuffisante», le même jour à midi et trois minutes. (De cette transaction boîteuse, votre mari sera avisé en quelques secondes, au restaurant où il commence son lunch.)

Même si vous avez déposé un milliard de dollars le premier juillet, vous serez considéré le cinq juillet comme coupable par la banque, par votre mari et, pire, par l'ordinateur qui mettra une semaine à vous avertir de votre découvert. Entre temps, vous aurez émis d'autres « mauvais» chèques. Pour chaque chèque sans provision, vous paierez à la banque une pénalité. (Pensiez-vous que la banque était dans les affaires pour le simple plaisir de la chose?)

Pour vous aider à éviter tous ces fâcheux inconvénients, la banque vous conseille d'enregistrer dans un carnet spécial la date de chaque chèque, son montant, son bénéficiaire, la nature du compte payé et, enfin, la somme d'argent qui reste dans votre compte.

Le petit carnet aide-mémoire que la banque vous donne à titre gratuit en même temps que les chèques (qui, eux, ne sont pas gratuits... mais c'est là une autre histoire), cet aide-mémoire donc est très commode pour inscrire des numéros de téléphone, dresser la liste de ce qu'il faut acheter à l'épicerie et rappeler quels travaux auraient dû être faits mardi dernier.

Mais le même carnet n'est d'aucune utilité dans les rapports avec la banque. En effet, peu importent le soin mis aux annotations relatives à vos chèques et l'exactitude de vos calculs, votre solde ne coïncidera jamais avec celui inscrit sur l'état de compte établi par la banque à la fin de chaque mois. Pourquoi? Parce que cet état de compte vous sera envoyé seulement au milieu du mois suivant. Pendant ce temps vous aurez déjà émis trente-trois nouveaux chèques (dont vous n'aurez des nouvelles que dans une trentaine de jours).

En conséquence, pour savoir exactement où vous en êtes, vous aurez à travailler le reste de l'après-midi (ou, si vous vous trouvez dans un embrouillamini comme celui dans lequel je vis, le reste de la semaine). Les chèques annulés en main, vous additionnerez, vous soustrairez, vous comparerez les totaux et vous prononcerez des gros mots, car le solde de la banque sera toujours inférieur à celui de votre carnet aide-mémoire.

Certains mois, la différence se chiffrera par une centaine de dollars. Mais le plus souvent, il s'agira d'une bagatelle, trente-sept cents, par exemple. Dans ce cas, vaut-il la peine de s'entêter tout un après-midi pour essayer de dénicher une erreur aussi minime? Je ne le crois pas. Aussi, pour que tout se normalise sans complications, je me contente d'écrire, à l'endroit nécessaire, quelque chose comme ceci: «37 cents: détournement de fonds par quelqu'un de la banque.»

Maintenant, tenez-vous bien! Les relevés de banque rendent perplexe. Mais il y a pire: les relevés pour les cartes de crédit. Quelle source de maux de tête!

Il ne s'agit pas ici des facilités de paiement accordées par certains magasins locaux. Ceux-ci vous envoient des comptes clairs et détaillés. Ainsi l'on vous dira que votre fils Dan a apposé sa signature au bas d'une facture pour trois albums de musique «Rock», au service des loisirs, le huit août dernier. De la sorte, non seulement vous savez lequel de vos enfants mérite d'être réprimandé, mais encore quelle marchandise doit être retournée et à quel endroit.

Je veux parler ici des vraies cartes de crédit. Celles-là indiquent seulement que l'objet #79203 fut acheté au magasin #67, au département #86 par le porteur de votre carte de crédit. (Un illisible code au verso du relevé est supposé vous aider à interpréter le système de la numérotation, mais personne n'a jamais pu le déchiffrer.)

Vous ne disposez donc d'aucun moyen de savoir quel membre de votre famille (et vous pouvez seulement espérer que ce ne soit pas un inconnu qui ait utilisé votre carte) a fait la transaction. Qu'a-t-il acheté? Où? À quel prix? Mystère!... C'est de propos délibéré que je viens de souligner votre ignorance du prix payé, car à cause des lenteurs de la poste, il y a eu retard et l'on vous a compté un intérêt de 18%. (Note: n'essayez pas de trouver sur quel principe l'ordinateur a calculé ces 18%. Il s'agit d'une guerre vaine, car vous n'aurez jamais assez ni temps ni patience pour mener à bien cette bataille-là. Acceptez cet inévitable, comme vous acceptez la nécessité de la mort et des taxes.)

À maintes reprises, j'ai décidé de ne plus jamais me servir de cartes de crédit. Mais, autant je suis allergique à l'argent, autant je suis droguée des cartes de crédit. Elles sont si commodes! On ne se salit pas les mains à manipuler de vieux sous et de vieux dollars. On n'a pas à faire sur place, de gros calculs. Enfin, avec un peu de chance, on peut espérer tomber raide mort avant le premier du mois suivant, date fatidique où il faudra comparaître devant l'époux pour tenter d'expliquer l'inexplicable.

Périodiquement, je déchire toutes mes cartes de crédit (ou encore, et c'est ce qui arrive le plus souvent, ce sont les banques qui me demandent de les détruire). Je me promets alors solennellement de ne plus jamais me servir de ces damnées cartes. Mais après un mois ou deux, la banque s'aperçoit que je lui manque. Elle se met alors à me faire la cour, à m'envoyer des lettres d'amour, à me rappeler combien il est agréable « d'acheter tout de suite et de payer plus tard». Je cède d'autant plus facilement qu'à ce moment, il y a déjà longtemps que j'ai perdu la maîtrise du va-et-vient de l'argent comptant qui passe par mon sac à main. Je remplis donc la formule de demande de carte. Et la sarabande des relevés de compte fumeux recommence de plus belle.

Depuis plus de vingt-cinq ans je jongle avec le budget familial. Or, jamais il ne m'est arrivé de recevoir au sujet de mes chèques et de mes cartes de crédit, une note avec la mention miraculeuse: «Dû: rien!»

Mon mari n'approuve pas le désordre de ma gestion financière. Mais il sait depuis longtemps qu'il ne lui servirait à rien de me faire des remontrances. Au début de notre vie conjugale, il essaya de me corriger. Mal lui en prit. Je jetai sur son bureau le carnet de chèques, les factures et les cartes de crédit en lui disant: «Voilà. À partir de tout de suite, tu t'occupes de tous les problèmes d'argent. Je dis bien: TOUS! Je me contenterai avec plaisir d'une allocation de cinq dollars par semaine.»

Trois mois et seize soldes débiteurs plus tard, il me remit tout le fouillis des finances familiales.

Mon excès de cupidité se trouvait puni. Aussi, pourquoi avais-je demandé cinq dollars par semaine? Qu'en avais-je besoin? Avec trois bébés dans mes jupes, j'étais, comme dans ma jeunesse, consignée à la maison et incapable de dépenser cette somptueuse allocation.

J'envie à Diane ses mois sans souci d'argent. Je lui ai dit que ce calme ne durerait pas. Peut-être me suis-je trompée. Après tout, elle est jeune et libérée. Féministe décidée, elle réussira peut-être à convaincre son mari de garder pour toujours la bourse du foyer.

5
Vivre selon ses moyens

Très graves furent — et demeurent — mes frustrations face aux problèmes financiers. Il y a pire, et c'est à s'en arracher les cheveux. Je veux parler de mes angoisses à propos du plus gros vol organisé de toute l'histoire économique du monde: les allocations aux enfants.

Je ne sais pas quel idiot lança l'idée que les jeunes devaient être financièrement indépendants. En tout cas, je lui souhaite à celui-là de passer au purgatoire le temps nécessaire pour amasser assez de cinq cents, de dix cents et de vingt-cinq cents pour subvenir aux pseudo-besoins d'un enfant de huit ans en cornets de crème glacée, assez pour payer à un enfant de onze ans ses fournitures scolaires, assez pour répondre aux goûts dispendieux d'un adolescent.

À l'époque de l'arrivée de nos premiers enfants, mon mari et moi avions décidé, d'un commun accord, de ne pas suivre l'exemple de nos amis plus âgés. Eux, se pensaient obligés de payer leurs enfants pour qu'ils accomplissent les tâches herculéennes de respirer, de manger et de contester. Nous avons résolu que si nos enfants voulaient dépenser de l'argent pour leurs fantaisies, ils auraient à le gagner en nous aidant dans les travaux du ménage, comme de laver et essuyer la vaisselle, tondre le gazon, laver la voiture, etc. On les paierait à la pièce, non à l'heure. (Certains enfants peuvent se faire une fortune en flânant sur l'ouvrage). De la sorte, un jeune avec coeur pourrait se gagner l'argent nécessaire pour se payer des séances de cinéma, des gâteries, même des leçons de tennis alors que son paresseux de frère aurait à se contenter des repas réguliers à la maison et des loisirs gratuits.

Par malheur, nous n'avons pu partir du bon pied, car nos quatre premiers garçons se révélèrent de misérables fainéants.

Il est entendu que dans une maison ordinaire, on ne fait pas travailler des gamins de un, deux, trois et quatre ans. Mais peut-on considérer comme une maison ordinaire celle où il y a quatre mioches de moins de cinq ans? Pour que leur mère survive, ces jeunes, en dépit de leur âge, devront donner un coup de main, ne serait-ce que pour ramasser les jouets qui traînent, vider les paniers à papier, ou encore recupérer sous un sofa les souliers du bébé, le hochet du bébé ou même, souvent, le bébé lui-même. (Si vous comptiez seulement neuf mois d'âge et que vous ayiez à vous traîner à travers les jambes volantes de vos frères, j'imagine que vous aussi, vous chercheriez souvent refuge sous le sofa.)

Nos gamins méprisaient les promesses dans le genre de celle-ci: «Aide maman à plier les couches et je te paierai un beau cornet de crème glacée!» C'est que mes quatre petits pouvaient compter sur des revenus personnels.

Je ne veux pas dire qu'ils recevaient des dividendes d'une«fondation» familiale. (En toute honnêteté, je dois confesser que j'ignore la nature même d'une «fondation» familiale). Ils avaient mieux que cela. Leurs grands-parents se conduisaient en bonnes poires et se laissaient acheter par un sourire, un baiser ou simplement par une minuscule menotte gentiment tendue.

Le père et la mère de mon mari, étant des grands-parents du type classique, n'arrivaient jamais les mains vides. Ils apportaient toujours des jouets.

À cause du rythme accéléré des naissances chez nous, le nombre des jouets devint vite excessif. La grand-mère acheta alors à chacun des petits une tirelire tout en promettant d'y insérer un vingt-cinq cents à chacune de ses visites. « Dans le temps de le dire, dit-elle, vous aurez assez d'argent pour vous acheter un tricycle.» À partir de ce moment-là, dès l'arrivée de la grand-mère, il y avait la cérémonie de l'insertion des vingt-cinq sous. Et les gamins agitaient joyeusement les tirelires pour les faire cliqueter et bien montrer que leurs trésors n'étaient pas disparus.

Grâce à cette tradition, mes enfants apprirent très jeunes trois principes importants: si l'on joue bien son jeu, on peut être payé sans travailler; avec de l'ingéniosité et de la patience, on peut extirper d'une tirelire une pièce de monnaie, quelle que soit l'étroitesse de la fente; quand on agite une tirelire pleine de cents, son cliquetis ressemble à s'y méprendre à celui d'une tirelire pleine de vingt-cinq cents.

Quand les quatre plus vieux arrivèrent à l'âge scolaire, la grand-mère était partie pour le Ciel, le grand-père pour sa retraite. Les vingt-cinq cents, eux, étaient partis, tout simplement. Ce qui ne s'était pas envolé, c'était le continuel besoin d'argent. Il y avait à payer les cahiers, les manuels, les cotisations du scoutisme, les bonbons, la gomme à mâcher, les balles et les ballons. Plus que le permanent flot des subventions, me préoccupait la réponse à la question: «*À qui* ai-je donné *combien* et *pour quoi*?»

Ce qui nous amena, mon mari et moi, à repenser le problème des allocations. Peut-être valait-il mieux, en définitive, donner à chacun une somme fixe et enseigner ainsi l'art difficile de vivre selon ses moyens.

Mais quel montant donner à des jeunes d'âges divers? On songea à un premier système: dix cents par semaine multipliés par l'âge de l'enfant. On s'aperçut vite que ça ne marcherait pas. À quatre ans, un mioche n'a pas besoin de quarante cents par semaine. Par ailleurs, avec un dollar et quarante, un garçon de quatorze ans ne peut même pas se payer une séance de cinéma. Alors, nous avons eu recours à une autre pratique, courante celle-là depuis des siècles et des siècles chez ceux qui établissent des budgets: voler Pierre pour payer Paul. On fixa donc ainsi l'échelle des allocations: rien aux petits de la maternelle et de l'école primaire; un dollar par semaine aux écoliers du secondaire; trois dollars par semaine aux collégiens. À quinze ans, l'étudiant devrait se trouver un travail de fin de semaine, étant donné que notre budget familial (et même le budget national!) ne suffirait pas à défrayer les besoins illimités de nos adolescents.

Une fois réglée la question du « Combien?», restait le problème du «Pourquoi?» Avec leurs allocations ou leurs salaires, qu'est-ce que les enfants devraient payer? Et quelles factures les parents de leur côté devraient-ils acquitter?

— Voici comment nous procéderons, décida le papa. Nous allons distinguer le «nécessaire» et le «luxe». Votre mère et moi allons vous payer le nécessaire, comme par exemple les repas à l'école, les cotisations scoutes, les activités athlétiques, et en général tout ce qui a un lien avec vos études. Vous autres, vous paierez pour le luxe: par exemple, la crème glacée, les sucreries, les amendes à la bibliothèque.

— Les amendes à la bibliothèque? s'étonna Tim. Depuis quand faut-il les considérer comme du luxe?

— Depuis quand sont-elles des nécessités? demanda son père. Si tu as à les payer à même ton argent, peut-être t'arrangeras-tu pour retourner à temps les livres empruntés.

Peg intervint alors:

— Si je comprends bien, il y aura d'un côté le nécessaire et de l'autre le luxe. Dans quelle catégorie placera-t-on les chaussures?

— Il est évident que les chaussures se classeront parmi les nécessités. Je paierai tes chaussures.

— Bravo! dit Peggy. J'ai justement besoin de chaussons de danse pour le bal masqué de Laurie. C'est dix-sept dollars, plus la taxe. Puis-je les acheter aujourd'hui?

— Un instant, dit Dan. À même mon argent personnel, je viens d'acheter des souliers de course. Si vous payez pour les chaussons de Peggy, j'aimerais bien que vous me remboursiez le prix de mes souliers de course.

— Parfait, soupira le papa. Disons que les souliers de course relèvent du domaine des études. C'est combien?

— Cinquante-quatre dollars, dit Dan.

— Cinquante-quatre dollars, maugréa son père. Où cours-tu? Aux Jeux olympiques? Tu aurais mieux fait de te consacrer au ballet.

— Papa, risqua Tim, si vous payez pour ce qui a trait aux études, allez-vous payer l'amende que je dois à l'école?

— Une amende? demanda son père. Quelle amende?

— Voici. Mon imbécile de professeur m'a condamné à une amende de vingt-cinq cents pour avoir lancé une boule de neige à Jenny Morris, une nouvelle dans notre classe.

— Tu n'as pas honte, Tim! gourmanda son père. Non! je ne paierai pas cette amende-là!

Tim répliqua:

— Mais vous aviez promis de payer pour les choses nécessaires.

— Exact! reprit le père. Mais je ne vois pas la nécessité de lancer une boule de neige à Jenny Morris.

— Ce l'était, papa, affirma Tim. Si je ne m'étais pas procuré dix cents avant quinze heures, cet après-midi, j'aurais eu à rester en retenue après l'école. Or, je ne pouvais pas rester après l'école parce que j'avais une pratique de soccer. Vous voyez qu'il était *nécessaire* d'avoir ce fichu dix cents.

— Je ne comprends plus rien, Tim, dit son père. Il était d'abord question de vingt-cinq cents. Et maintenant tu parles de dix cents.

— Dix cents, c'était mon amende d'hier, précisa Tim. J'ai été pris à mâcher de la gomme. Le professeur me dit d'apporter dix cents aujourd'hui, sinon...

— Je ne vois pas, dit son père, ce que tout cela a à faire avec le lancement d'une boule de neige à Jenny Morris.

— Voici, papa. J'ai parié dix cents avec Doug que j'arriverais à amener Jenny Morris à me parler. Jusque-là, elle s'était limitée à me dire: «Bonjour!» Doug soutint que je ne parviendrais pas à la faire sortir de sa réserve. Je lançai donc la boule de neige à Jenny. Elle se tourna, furieuse, et me cria: «Toi, Tim Bloomingdale, arrête-moi ça!» J'avais gagné le pari et Doug me remit dix cents. Mais le professeur m'avait vu et m'imposa l'amende de vingt-cinq sous.

— Dis-moi, Tim, demanda son père. As-tu aimé que Jenny te parle?

— Bien sûr, répondit Tim sans hésitation. Jenny est certainement la plus jolie fille de l'école.

— Alors, dit le père, narquois, toute cette histoire se classe de ce fait dans la catégorie «luxe». Mes sympathies, Tim. Meilleure chance la prochaine fois.

Quelques jours plus tard, le débat «nécessité contre luxe» fut de nouveau ouvert quand mon garçon de dix-sept ans, Dan, me dit:

— Maman, notre bal de fin d'année a lieu la semaine prochaine et j'aimerais y aller. Mais je voudrais bien garder l'argent de mon travail de fin de semaine pour des choses plus importantes. Ne pourriez-vous pas me payer ce bal?

On me prend facilement par le sentiment. Je me souvins qu'au terme de mes études secondaires, le bal des finissantes avait été pour moi un événement à la fois agréable et très émouvant. Je voulais que Dan puisse participer à cette soirée « unique dans toute une vie ». Je comprends aussi sa répugnance à entamer son petit capital durement gagné.

— Dan, combien penses-tu que cela coûterait, demandai-je.

— J'ai déjà fait le calcul, dit Dan. La soirée coûtera légèrement plus que cent dollars.

— Cent dollars! m'écriai-je. Ça n'a pas de bon sens! Comment se peut-il que cela coûte si cher d'amener une fille à une danse!

— La location du smoking, dit Dan, me coûterait à elle seule trente dollars... Puis, il me faudra des souliers, des demi-guêtres, un haut de forme, une canne...

— Un moment! dis-je. Le smoking, d'accord. Passe encore pour les souliers spéciaux, car je te vois mal en smoking avec tes abominables souliers de tennis. Mais je ne veux pas entendre parler de demi-guêtres, de haut de forme, ni de canne.

— Entendu, soupira Dan!... Mais le smoking et les souliers, ça va chercher dans les trente-quatre dollars... J'aurai besoin de vingt-cinq autres dollars pour les fleurs de ma compagne...

— Vingt-cinq dollars pour des fleurs, protestai-je. As-tu l'intention de lui acheter des orchidées? Pourquoi pas un joli bouquet de corsage à cinq dollars?

— Allons, maman. De nos jours, un bouquet de

corsage, ça fait banal. Une douzaine de roses à longues tiges, c'est tellement plus impressionnant.

— Je te propose un compromis, dis-je. Mettons dix dollars pour le bouquet de corsage. Cela nous mène à quarante-quatre dollars. Avec le billet du bal à cinq dollars, nous restons juste en deça de cinquante dollars.

— Vous oubliez le banquet, dit Dan. Les gars ont déjà fait les réservations au nouveau «Restaurant français». Ils se sont entendus pour trente dollars par couple.

— Qu'est-il advenu, demandai-je, de ton engouement pour les «Arcs dorés» de McDonald?

Dan répondit:

— C'est là que nous irons pour le petit déjeuner. Les gars ont loué tout le local. Le gérant a consenti à décorer les tables, à fournir un orchestre et à servir un menu spécial pour seulement dix dollars le couple.

— Entendu! Entendu! soupirai-je.

Je m'étais empressée de donner mon accord, car je redoutais que Dan me demande d'organiser ce petit déjeuner à la maison, comme l'avait fait son aîné quelques années plus tôt. J'avais appris à mes dépens qu'on ne peut servir un déjeuner convenable à des adolescents pour dix dollars le couple.

J'ajoutai:

— Cela fait quatre-vingt-neuf dollars. Il me semble que tu avais parlé de plus de cent dollars.

— C'est qu'il y a, dit-il, un autre vingt dollars pour la limousine.

Je le regardai, surprise.

— Est-ce que tu plaisantes? demandai-je.

— Moi, plaisanter? Qu'est-ce que vous voulez dire?

— As-tu vraiment l'intention de louer une limousine? dis-je.

— Entendu! concéda-t-il. Pas de limousine! Mais le reste? Pouvez-vous me passer les quatre-vingt neuf dollars nécessaires?

— Je ne le puis pas... Je vais m'arranger quand même pour te trouver cette somme. Après tout, c'est ton unique bal de finissant de secondaire.

J'allai vérifier mon compte de banque. En voyant quelle petite somme me restait, je sursautai, déçue. L'émission d'un chèque de quatre-vingt-neuf dollars dans la circonstance provoquerait chez mon gérant une crise d'apoplexie. Je me rendis donc à ma « caisse populaire» et je fis une ponction dans la réserve de mon club de Noël.

— Voici ton argent, dis-je à Dan, en rentrant à la maison. Profite bien de ton bal.. À propos, qui as-tu invité à t'accompagner ce soir-là?

Avant de me répondre, Dan s'empressa d'empocher son argent. Puis, tout calme, il me dit:

— Mais, je n'y vais pas au bal. J'ai seulement pensé que j'avais droit au montant que vous m'auriez donné si j'y étais allé.

— Dan, criai-je, indignée. Tu m'as menti!

— Pas du tout, chère maman. Je me souviens des termes mêmes que j'ai employés. J'ai dit exactement: « J'aimerais aller au bal». Je persiste dans les mêmes sentiments. Tout simplement, je trouve que quatre-vingt dollars pour ça, c'est vraiment trop cher. Je vais me servir de cet argent pour cette fin de semaine à Kansas City dont je vous ai déjà parlé. Nous sommes tout un groupe d'amis à aller à une très importante joute de baseball.

— Dan, dis-je. Nous avons déjà examiné cette histoire de baseball sous toutes ses faces. J'avais conclu que nous ne pouvions pas te payer ce voyage.

— Comment pouvez-vous dire que vous ne pouvez pas me payer ce voyage? Si vous pouvez m'envoyer au bal, pourquoi pas à Kansas City? Je ne vois pas la différence entre aller à une danse et aller au baseball, puisque ça coûte le même prix.

Quelle logique?... Quel illogisme?...

6

Il m'a semblé entendre une voix crier: «Ne dors plus!»

Shakespeare,
Macbeth, II, 2,36.

Dans mon enfance, mes parents m'enseignèrent que Dieu avait créé la nuit différente du jour, avec l'espoir de voir les humains comprendre qu'on est supposé dormir la nuit et travailler le jour. Docile, je crus cette histoire. Je pris donc l'habitude de me coucher le soir et de me lever le matin, habitude que je dus abandonner quand je devins mère.

Récemment, j'essayai d'expliquer à mes enfants la théorie traditionnelle au sujet du jour et de la nuit. À mesure que j'exposais les avantages d'une bonne nuit de sommeil, je les voyais de plus en plus étonnés, ahuris, visiblement inquiets de ma santé mentale. Peut-être avaient-ils raison. Il était deux heures du matin: à cette heure-là, je ne suis pas très brillante.

Ce soir-là, je m'étais couchée à 11 heures (les vieilles habitudes ne disparaissent jamais tout à fait) et depuis, je n'avais pas cessé de répondre à des questions comme celles-ci:

— Maman! Maman! Je suis désolé de t'éveiller. Excuse-moi... As-tu vu mon chandail bleu?... J'en ai besoin demain pour la gymnastique.

— Maman! Maman!... J'ai oublié de t'avertir... Le surveillant a prétendu — faussement! — que j'avais fumé dans la salle des casiers. Il m'a flanqué une suspension de trois jours. Aurais-tu la bonté de me laisser dormir demain matin?

— Maman! Maman! Jim voudrait te parler au téléphone. De Tokio. Acceptes-tu les frais de l'interurbain?

— Maman! puisque tu es debout, pourquoi ne pas nous accompagner à notre casse-croûte? Nous venons de commander une pizza au restaurant du coin.

Est-ce que les gens ordinaires continuent à dormir la nuit? Est-ce que ce sont seulement mes enfants qui ne se couchent pas?

J'aurais dû me douter que mes petits seraient des oiseaux de nuit. En effet, dès leur naissance, ils ont changé l'heure à toutes les horloges de la maison... Voulez-vous un exemple? Un jour où, de l'hôpital, je ramène chez nous un nouveau-né, je le couche délicatement dans son berceau. Paisible, il dort comme une bûche... jusqu'à 11 heures du soir. Il s'éveille alors et reste éveillé toute la nuit. Eh oui! J'ai passé une grande partie de ma vie à bercer des bébés la nuit et à essayer de les tenir éveillés le jour. Presque toujours en vain. Plus je les berçais la nuit, plus ils hurlaient. Plus je faisais de bruit autour de leur berceau le jour, plus ils dormaient dur.

À l'âge où ils commençaient à marcher, je les envoyais au lit au début de la veillée. Ils n'en dormaient pas pour autant. Au moins restaient-ils dans leur lit? Pas toujours. Périodiquement, on les voyait rebondir pour demander un verre d'eau, une autre belle histoire, un bécot supplémentaire, ou encore pour supplier papa de venir tuer le monstre caché dans la garde-robe. Je présume qu'ils finissaient par s'endormir mais je n'en fus jamais certaine. En effet, quand je sombrais moi-même dans le sommeil, ils n'avaient pas encore cessé leurs murmures et leurs rires étouffés. À mon éveil le matin, ils étaient déjà debout, criant, se chamaillant, démantibulant l'ameublement de leur chambre.

Leur habileté à sauter du lit dès les premières lueurs de l'aurore, ils la perdaient brusquement dès le second jour de leur première année scolaire. À partir de ce moment-là, j'avais deux batailles quotidiennes à mener: la première pour les envoyer se coucher, la deuxième pour les faire sortir du lit et les envoyer à l'école.

À six ans, l'un de mes garçons me demanda:

— Pourquoi nous, les enfants, devons-nous nous coucher quand nous ne sommes pas fatigués et nous lever quand nous le sommes?

Je n'ai pas encore trouvé la réponse à cette question. Et pourtant, je passe pour experte en ce domaine.

Tous les soirs, j'avertissais mes plus jeunes: « C'est le temps d'aller au lit.»

Aussitôt, j'entendais leurs véhémentes protestations:

— Voyons, maman! Se coucher à neuf heures, c'est bon pour les bébés. (Inexact! car les bébés ne s'endorment qu'à 5 heures du matin). Pourquoi ne pas nous accorder jusqu'à neuf heures et demie?

— Parce que votre grande soeur doit se coucher à neuf heures et demie. Elle me demanderait à son tour un sursis d'une demi-heure. Mais si elle se couche à dix heures, les plus grands viendront me supplier, eux aussi, de les laisser debout une demi-heure de plus. Mais pourquoi discuter? C'est bien simple: ALLEZ VOUS COUCHER!

Une fois mes plus vieux devenus adolescents, je renonçai à les envoyer se coucher. J'aurais dépensé, en vain, une énergie dont j'allais avoir besoin pour les faire se lever le lendemain matin.

Mais c'est quand ils deviennent collégiens que mes enfants me déconcertent le plus. Autant que je sache, mes collégiens ne se couchent pas du tout. Quand je me retire moi-même pour dormir, mes aînés commencent à peine à faire leurs devoirs de classe. C'est qu'ils ont employé le début de la soirée à des tâches tellement plus intéressantes comme: laver leurs cheveux, organiser des casse-croûte, converser au téléphone. (J'ignore comment ils s'y prennent pour arracher l'appareil à Annie.)

Le matin, quand je descends à la cuisine, je les trouve à table, penchés sur leurs livres, buvant du café froid à grandes lampées et marmonnant: «Encore cinq mille mots! Et je dois remettre ce travail à huit heures!»

Les fins de semaine, s'il m'arrive de suggérer à mes aînés de rester à la maison pour rattraper leur sommeil perdu, ils s'exclament:

— Tu veux rire! Je n'ai pas le temps de dormir. J'ai un rendez-vous des plus importants (ou bien une décisive partie de baseball, ou une joute oratoire capitale, ou une répétition essentielle d'une pièce de théâtre). Ne m'attends pas! Je ne sais vraiment pas à quelle heure je pourrai revenir.

Eh bien! moi, je tiens à savoir à quelle heure ils reviendront. Et je le saurai! Gare à eux s'ils entrent après le couvre-feu! Ils auront à me rendre des comptes.

En fait, je passe souvent les petites heures du dimanche matin à demander à l'un ou à l'autre pourquoi il est rentré si tard.

Chez nous, le couvre-feu n'a pourtant rien de tyrannique: 11 heures pour les gens du secondaire 1, 2 et 3; minuit pour ceux du secondaire 4 et 5; 1 heure pour les collégiens.

Quand mes grands étaient adolescents, ils arrivaient presque toujours en retard mais, invariablement, avec de bonnes excuses comme: «J'ai bousillé la voiture», «Des policiers m'ont amené au poste et j'ai dû argumenter longtemps avant qu'ils me libèrent». Le temps de constater que la «démolition» se ramenait à une éraflure (qui existait peut-être depuis longtemps), le temps de savoir que l'excès de vitesse n'avait pas provoqué une arrestation réelle mais un simple avertissement, et je me sentais tellement soulagée que j'en oubliais l'histoire du couvre-feu.

Notre cinquième enfant, Mary, ne ressemble en rien à ses frères aînés quant à la manière de conduire une voiture. Elle leur est de beaucoup supérieure comme chauffeur. Elle ignore même où se trouve la cour où se règlent les infractions à la circulation. Ses frères, eux, pourraient s'y rendre les yeux fermés.

Mais Mary est carrément inférieure à ses aînés en imagination créatrice. Elle présente, comme excuses à ses retards, des raisons aussi peu sensationnelles que celle-ci: «J'ai perdu les clés de la voiture.»

Justement, l'autre soir le téléphone sonne aux alentours de minuit. C'était Mary qui appelait de l'Université où elle avait participé à la répétition d'une pièce, un drame de ce Shakespeare qu'elle adore.

—J'espère que je ne t'ai pas réveillée, maman. (Pure formule de politesse, car Mary sait bien que je ne puis pas fermer l'oeil avant son retour). J'ai pensé t'appeler pour t'avertir que je serai probablement en retard... En fait, il se peut que toi ou papa soyez obligés de venir me chercher.

Je soupirai:

—Laisse-moi deviner... Tu as encore perdu les clés de la voiture?

—Elles ne sont pas perdues, maman. Tout simplement, elles ne sont pas où elles devraient être. Je suis à peu près certaine de les avoir laissées dans la salle de maquillage.

Je me risquai à présenter une suggestion:

— Pourquoi ne vas-tu pas les chercher? dis-je suavement.

— C'est que cette salle est maintenant sous clé, répondit-elle. Mais j'ai joint le concierge. Il descend et il va m'ouvrir.

— Rappelle-moi, lui dis-je, si tu ne les trouves pas. Ton père ira te chercher avec l'autre trousseau.

— Euh! Voilà!... Il y a un petit problème, maman. C'est de l'autre trousseau dont je me suis servie ce soir. J'ai perdu le premier samedi dernier. Je te jure que je voulais le remplacer, mais la semaine s'est passée sans que j'aie une minute de libre. Ne panique pas!... Je paierai ce qu'il faudra pour régler la situation. En attendant, je vais retrouver le jeu qui se trouve à la salle de maquillage. Voici le concierge qui arrive... À bientôt...

— Appelle-moi! criai-je.

Mais la ligne était déjà fermée. Je raccrochai, inquiète, et je commençai ma vigile de fin de semaine, marchant de long en large, les yeux sur l'horloge, me tourmentant pour Marie, avec, de temps à autre un coup d'oeil du côté de mon mari que j'aurais peut-être à réveiller.

À minuit et demi, Mary n'avait pas rappelé et n'était pas revenue. Morte d'inquiétude, je téléphonai au concierge de l'Université.

— Mary Bloomingdale? répondit-il. Bien sûr que je la connais. C'est l'étudiante qui perd sans cesse ses clés de voiture. Elle vient tout juste de partir.

— S'en vient-elle à la maison? demandai-je. A-t-elle retrouvé ses clés?

— Pas cette fois-ci! dit-il. J'en suis désolé. Jusqu'à ce soir, j'avais toujours réussi...

— Où Mary est-elle en ce moment? Se trouve-t-elle avec vous?

— Non!... Elle est partie il y a quelques minutes. Elle se dirigeait vers le terrain de stationnement de l'Université.

Comme je déposais l'écouteur, mon mari s'éveilla. J'eus à le mettre au courant de la situation.

Comme le pauvre homme sortait péniblement du lit, je lui remis une boîte à chaussures.

— Voilà, dis-je. C'est ma réserve de vieilles clés. Peut-être en trouveras-tu une pour notre familiale.

— Et toi, que vas-tu faire? demanda-t-il.

— Ce que je fais de mieux, répondis-je: m'inquiéter!

Les minutes passaient et nous n'avions aucune nouvelle de Mary. Mon mari essaya d'alléger mon fardeau de soucis par des remarques humoristiques sur ma boîte à clés.

— Tiens, voilà la clé de la Buick de grand-père. Tu fais bien de la garder au cas où cette Buick ressusciterait et sortirait de la cour à ferraille... Réveille Patrick! Je viens de trouver, enfin, la clé de ses patins à roulettes... Et ceci? Qu'est-ce? Une clé de motel! La gardes-tu pour un motif précis! Un rendez-vous? Un souvenir de rendez-vous?

— Une distraction! répondis-je. J'ai emporté cette fichue clé, quand nous avons quitté le motel où nous nous étions arrêtés dans les Ozarks. Une pure distraction!

— Je me souviens maintenant. Quel infect endroit! C'était vieux au point de tomber en ruines.

Tout à coup, il s'écria sur un air de triomphe:

— J'ai peine à le croire. Regarde! C'est bien un autre jeu de clés pour la familiale! Viens! Allons à l'Université! Allons chercher Mary!

— Nous ferions mieux d'attendre d'avoir de ses nouvelles, dis-je, au bord d'une crise d'hystérie. Où peut-elle bien être? Ça fait déjà plus d'une heure qu'elle a appelé.

Juste à ce moment-là, la porte s'ouvrit et Mary entra, joyeuse, exubérante.

— Allo! les amis! Désolée au sujet des clés de la voiture.

Je l'interrompis:

— Où es-tu allée?

— Voici. Au terrain de stationnement, Cindy m'a offert de me ramener à la maison. Comme il me restait une bonne demi-heure avant le couvre-feu, je suis allée, avec elle, prendre un bon café au restaurant «Perkins». J'espère que vous n'étiez pas inquiets...

(Moi inquiète? Allons donc!)

Je demandai:

— Je présume que tu n'as pas retrouvé les clés.

— Non! J'en suis peinée... J'en ferai faire un autre jeu dès demain matin.

— J'en ai trouvées, dit son père. Viens avec moi. Je vais te conduire à l'Université et je te suivrai au retour.

— Est-ce que maman ne pourrait pas me remplacer? dit Mary. Je prévois une grosse journée pour demain et j'aurais besoin de sommeil.

— Souviens-toi! s'écria son père. Par la bouche de Macbeth, Shakespeare a proclamé l'inutilité du sommeil. Remets ton manteau et viens-t'en.

Je crois que Mary ne s'est pas couchée cette nuit-là. À son retour à la maison avec son père, elle se souvint d'avoir à remettre un long travail dans la matinée. Elle s'installa donc sur la table de cuisine où je la retrouvai au déjeuner.

* * * * *

Je suis pleine d'appréhensions pour l'avenir du continent nord-américain. Avez-vous pris conscience que, d'ici une décade ou deux, nous serons conduits par un lot d'individus qui n'auront pas dormi depuis l'âge de dix-sept ans?

7
Algèbre et trigonométrie intégrées

Peggy lança au bout de la table le prospectus de son école.

— Moi, tout cela, ça me dégoûte! s'écria-t-elle. C'est demain la date limite pour les inscriptions et je ne sais pas encore quels cours choisir... Il y en a vraiment trop!

Dan, son frère plus âgé, intervint:

— Choisis donc tout simplement quelques bonnes matières sérieuses. Ça impressionne les professeurs. De plus, tu pourras plus facilement être admise au collège quand le temps viendra.

— Et si je suis recalée, comme c'est probable, penses-tu que je serai plus avancée? Je ne suis vraiment pas intéressée à suivre des cours qui ne me disent rien. Et, à l'encontre de certains «génies», je ne cherche pas à étonner par mes prouesses scolaires.

C'était là une taquinerie en coup de griffe à l'adresse de Danny qui se considère comme un intellectuel. Aucun de ses professeurs n'est de son avis. Pareille méconnaissance de ses aptitudes n'ébranle pas Dan. Elle ne fait que consolider l'opinion defavorable de Dan à l'égard de ses professeurs.

Les professeurs de notre école sont sûrement des compétences en plusieurs domaines. En particulier, ce sont sans doute des champions en contrôle d'eux-mêmes. Comment auraient-ils pu autrement réprimer leur très forte envie de «tuer» Dan?

Quant à moi, je ne suis pas loin de reconnaître en Dan un authentique intellectuel. Il a beaucoup lu et beaucoup retenu. À une vitesse effarante et avec précision, il peut débiter un nombre impressionnant de noms, de dates, d'événements, de théories et de formules mathématiques ou chimiques. (Hélas! il souffre d'une aversion invincible à l'endroit de certaines bagatelles comme l'assistance aux cours et les examens périodiques). Dans une joute entre écoles sur des thèmes historiques, Dan étonna par ses réponses rapides et précises à des questions qui auraient embarrassé Henry Kissinger lui-même. Les membres du jury éprouvèrent une admiration telle qu'ils félicitèrent le professeur de Dan de compter parmi ses élèves un jeune homme aussi brillant.

Le professeur en question ne s'enfla pas la tête pour autant. Il alla jusqu'à dire:

— Si Monsieur «l'esprit supérieur» Bloomingdale se retrouve dans ma classe l'an prochain, et s'il s'absente des cours aussi souvent que cette année, il peut être certain d'échouer aux examens.

Peggy n'a pas la suffisance de Dan. Elle n'est pas sûre, comme il l'est, de la justesse de son orientation.

Je plains les jeunes d'aujourd'hui. Très tôt, ils ont à prendre des décisions dont ils ne peuvent pas prévoir les conséquences lointaines. Ainsi, parce qu'un tel n'a pas choisi certaines options au début de ses années de secondaire, il ne pourra pas se faire admettre à la Faculté de médecine ou à celle des Hautes études commerciales. Ceci explique que je sympathise de tout coeur avec Peggy.

Je pris donc le prospectus jeté par ma fille au bout de la table et je me mis à le feuilleter. Rien d'étonnant à ce que ma Peggy se soit découragée. Que pensez-vous du premier paragraphe en première page? Il se lit comme suit: «Un bref exposé raisonné de nos divers horaires, accompagné de directives sur le choix de l'ensemble des cours, précède la description de chaque cours. Dans cette description vous trouverez les prérequis exigés et le nombre de crédits alloués».

Trouvez-moi un jeune de quatorze ans qui comprenne ce charabia et je vous dirai que cet enfant n'a pas besoin d'aller à l'école tant il est génial.

La description même des cours est rédigée dans un style aussi compliqué que celui de l'introduction. On y offre en des termes obscurs des séries intitulées «Probabilités et statistiques», «Politique et pouvoir», «Chef-d'oeuvres littéraires», «Précédents juridiques», «Production de programmes à la télévision», «Sociologie», «Psychologie», «Éducation distributive», «Guerre et paix». (Ce dernier cours n'a rien à voir avec le roman du même titre de Tolstoi. Il s'agit d'une série de leçons sur la manière de s'y prendre pour devenir Secrétaire d'État!)

L'un des cours, placé sous la rubrique «Éléments de médecine I» est offert aux élèves du Secondaire I. On y enseigne entre autres choses, les soins à donner dans les urgences, le fonctionnement d'un hôpital, le vocabulaire médical usuel, la façon de rendre un objet stérile, les maladies les plus fréquentes avec leurs symptômes et leurs remèdes, la pédiatrie, la gérontologie, le traitement des patients sans connaissance, la façon de s'occuper d'un opéré qui a subi une trachéotomie, les effets psychologiques de la pensée de la mort sur les cancéreux en phase terminale.

Avez-vous besoin d'un médecin? Si les autres, les diplômés, sont occupés, appelez un élève de Secondaire I!

Il y a aussi un cours «Éléments de médecine II» pour les écoliers plus avancés. J'ai oublié les détails du programme mais je me souviens qu'il y est question d'internat dans un hôpital et de spécialisation en chirurgie.

Le paragraphe du prospectus qui a davantage piqué ma curiosité avait pour titre «Algèbre et trigonométrie intégrées». À l'école, déjà empêtrée dans les théorèmes d'algèbre, je n'avais jamais aspiré à la trigonométrie, science réservée à celles qui avaient la bosse des mathématiques. En lisant le prospectus, j'ai donc cru, dans ma naïveté, que seuls les as en calcul pouvaient songer à s'inscrire pour l'«Alg. et Trig. Int.»

Je me trompais. Le prospectus offre ce cours aux élèves «qui ont éprouvé des difficultés en arithmétique au long de leurs études précédentes». Un cours comme celui-là pour «les allégés»? Qu'enseigne-t-on alors aux «enrichis», genre Einstein?

Dans sa section relative aux langues étrangères, le prospectus ressemble à un bottin des Nations unies. Aux jeunes de quatorze ans, qui n'ont pas encore maîtrisé l'anglais, on offre non seulement le français et l'espagnol, mais le latin, le grec, l'allemand, le russe et l'hébreu.

Dan, lui, choisit le latin, et j'en fut contente... Ce bon vieux latin de ma jeunesse!

Mis au courant de l'option de Dan, mon mari se montra surpris:

— Je m'attendais à ce qu'il s'inscrive plutôt pour le russe.

— Le russe? dis-je. Pourquoi le russe? L'allemand, d'accord: ça fait chic chez un intellectuel. Mais le russe?

— Les Allemands, dit mon mari, ne sont plus impérialistes. Alors, pourquoi apprendre leur langue? Tandis que pour les Russes, on ne sait jamais. Danny est le type qui mise sur les meilleurs tableaux. Tu dois admettre que Danny ferait un «collaborateur» idéal.

Pendant que Dan et Peg continuaient à se donner beaucoup de mal pour organiser leurs programmes de cours, je ne pus m'empêcher de me souvenir de la simplicité des structures scolaires de mon temps. Avant de nous enregistrer, nous n'avions pas à consulter des orienteurs ni à choisir dans une longue liste d'options. Allions-nous désirer, plus tard, devenir architecte, avocate ou métaphysicienne? Nous ne le savions pas et nous n'avions pas à le savoir.

Le jour de l'entrée, on nous conduisait dans notre classe et, sans plus de cérémonie, on nous invitait à commencer à étudier selon un programme établi par les autorités. Pas d'options, pas de blocs-systèmes, pas d'horaires modulés. Année après année, nous avions six heures de classe par jour et six matières, toujours les mêmes: anglais, histoire, mathématique, latin, langue seconde et science.

Le cours de langue maternelle n'était pas plus compliqué que les autres. On nous enseignait à bien nous servir de notre langue, c'est-à-dire à bien la parler, à bien l'écrire, à bien la lire. Et malheur à l'élève qui terminait son élémentaire sans maîtriser le langage de son pays. Avant d'entrer au secondaire, il passait un test obligatoire. Un mot mal orthographié, une virgule mal placée et le délinquant devait suivre des cours spéciaux pour mieux organiser ses phrases, parfaire sa ponctuation et mémoriser les règles grammaticales. Une fois qualifié, il « montait» au cours de littérature. Celui-ci s'intitulait «Prose et poésie». S'échelonnant sur quatre années, il nous proposait des poèmes choisis, des contes, des essais et d'ennuyeux romans.

Avec nos manuels, on nous donnait deux listes: celle des livres à lire dans l'année et celle des livres interdits. (À cette époque, existait encore le fameux INDEX, aboli depuis). Inutile de dire que nous lisions tous les livres de la seconde liste et, aussi peu que possible, ceux de la première. Plus tard, je me suis étonnée qu'un astucieux professeur n'ait pas interverti ces listes.

...J'ai l'impression que cette interversion s'est faite récemment. En effet, il y a un mois environ, Mary apporta à la maison un livre qu'elle devait lire pour son cours d'anglais. Or, c'était un livre «à l'index» que, étudiante, j'avais monté en contrebande au dortoir. Je l'avais lu sous mes couvertures, le rouge aux joues et me hâtant de peur que ces récits brûlants ne mettent le feu à la bâtisse. Hier, voyant le même livre qui traînait encore sur le bureau de ma fille, je demandai:

— L'as-tu lu?

— Non! dit-elle. Des copains m'ont averti qu'il était long et plat.

— Si tu ne le lis pas, comment pourras-tu en rédiger la critique?

— Pas de problème! répondit-elle. Il va passer à la télévision?

— Pas aux grandes heures d'écoute, j'espère.

— Non, dit-elle. Il va passer le samedi matin sous forme de dessins animés pour les enfants.

* * *

Dans mon temps, au secondaire, on nous enseignait en même temps que l'histoire de notre pays, celles de la France, de l'Angleterre, de l'Église et du monde entier. La matière était si abondante que, de toute évidence, nous ne pouvions pas tout retenir. Des cours de mathématiques, nous avons tout oublié car, en ces temps reculés, personne ne s'attendait à ce que les filles comprennent quoi que ce soit à l'algèbre ou à la géométrie. Comme la compétence en ces matières était exigée pour l'entrée au collège, seules quelques élèves au talent exceptionnel pouvaient parfaire leurs études. Les autres étaient inscrites d'office, à la fin du secondaire, au cours d'arithmétique commerciale. Leurs compagnes devenues collégiennes les regardaient du haut de leur grandeur, avec un mépris mêlé de compassion. Les années ont passé. Par un juste retour des choses, plusieurs des étudiantes « bien ordinaires» d'autrefois se sont élevées jusqu'à des postes de commande dans les compagnies multinationales. (Elles sont aussi les seules, parmi les mères de famille, à pouvoir balancer leurs carnets de chèques.)

Les professeurs se montraient aussi tolérants en ce qui concernait les sciences. N'importe qui obtenait le minimum de notes nécessaires pour passer, à la seule condition de comprendre la formule H^2O et de pouvoir éteindre un bec de Bunsen.

Là où l'on s'attendait à ce que nous excellions, c'était dans les langues secondes. De préférence à l'espagnol, on nous conseillait le français, car tous les professeurs le parlaient avec facilité. Pour nous influencer, on nous faisait aussi valoir que c'était une langue universelle. Je suivis donc des cours de français pendant quatre ans. Mais je n'ai encore rencontré personne qui le parle, sauf mes anciennes compagnes de classe qui, pour des raisons mystérieuses, préfèrent s'adresser à moi en anglais?

En dépit de la simplicité des programmes au secondaire, j'avais toujours l'impression d'être surchargée, surtout aux temps des examens. Je me demande comment je réagirais si j'étais à la place de mes enfants qui sont littéralement écrasés sous le nombre des matières à étudier.

À la réflexion, je crois que j'imiterais Peggy.

L'autre jour, son orienteur me convoque.

—Avez-vous approuvé cette liste des cours choisis par Peggy? me demanda-t-il?

— Certainement, dis-je. Ne voyez-vous pas ma signature au bas de sa carte?

En manière d'excuse, il me répondit:

— Avouez qu'il est un peu difficile de lire cette carte. Peggy y a inscrit tant de changements.

— Des changements? dis-je, surprise.

La carte que j'avais signée ne comportait aucune rature.

— Voulez-vous, dit l'orienteur, que je vous lise la liste *corrigée* des options choisies par Peggy?

— Bien volontiers! dis-je, vraiment inquiète.

— Voici: fanfare, balle au panier, chant, céramique, peinture à l'eau et photographie.

— Combien étrange! dis-je. Pensez-vous que Mary songe à faire carrière en art ou en musique?

— Elle n'entrevoit pas du tout de faire carrière. Quand je le lui ai demandé, elle m'a déclaré qu'elle n'envisageait d'aucune façon de travailler à l'extérieur. Elle se propose de se marier tôt et d'avoir des enfants. Tout ce qu'elle demande à l'école, c'est de la préparer à des violons d'Ingres intéressants.

—Ça me paraît plein de bon sens, dis-je. Pourquoi ne pas la laisser vivre selon ses désirs?

— C'est impossible! s'écria l'orienteur, irrité. Elle doit obligatoirement suivre des cours de littérature, d'anglais et de maths.

Je répliquai, plûtot vivement:

— Elle n'a pas besoin de cours de littérature. Elle regarde les bandes dessinées à la télévision le samedi matin. Ça suffit. Quant à l'anglais, elle le parle mieux que la plupart des filles de son âge.

— Et les mathématiques? dit-il, légèrement apaisé.

— Ne vous inquiétez pas... Elle pourra toujours, l'an prochain, comme les «allégés» s'inscrire à «Alg. et Trig. Int.»!

8
Fugitifs

Ces jours derniers un psychologue me demanda:

— Vos enfants se sont-ils parfois enfuis de la maison?

— Bien sûr que non! répliquai-je avec une vertueuse indignation. (En indignation, je suis experte. En vertu, beaucoup moins!)

J'aurais dû donner des explications. Mes tout jeunes ne se sont jamais sauvés parce que je n'ai jamais laissé à leur portée les clés de la voiture.

S'il faut vraiment dire «toute la vérité, rien que la vérité», j'avouerai une fugue de l'un de mes fils. Mais, franchement, je préférerais n'en point parler, car elle n'est pas à mon honneur.

Mon petit fugitif avait seulement neuf ans. À ma honte, je me suis aperçue de sa disparition seulement au moment où, en larmes, il téléphona pour demander qu'on aille le chercher.

J'étais la coupable, bien sûr. (Ne le suis-je pas toujours?)

L'incident se passa par un après-midi très chaud, d'une chaleur humide, telle qu'on en connaît souvent pendant l'été, au Nebraska. Je venais tout juste d'arriver de l'hôpital avec mon plus récent nouveau-né, mon huitième. Mes quatre aînés — âgés de six à neuf ans —

jouaient au jeu passionnant de démolitions, avec des camarades du voisinage, tous montés sur des tricycles, des trottinettes ou des patins à roulettes, tous criaillant de toute la force de leurs poumons. Les trois plus jeunes — âgés de deux à cinq ans — s'amusaient bruyamment, dans une salle de notre troisième étage à la destruction mutuelle de leurs jouets. Ultra-nerveuse, comme toujours après un accouchement, je venais de déposer mon bébé dans son berceau pour un somme. De temps à autre, j'allais demander aux deux groupes de tapageurs de se tenir tranquilles. «Le premier de vous autres qui réveille le bébé, leur dis-je, n'est pas mieux que mort!»

En toute équité, je me dois de déclarer que je ne crie pas plus fort après mes enfants qu'après les gamins du voisinage, le laitier, le lecteur des compteurs d'électricité ou n'importe quelle autre personne qui, en faisant du bruit, risque d'éveiller mon poupon. Mon aîné de neuf ans était-il plus impressionnable que d'ordinaire, ce jour-là? Toujours est-il que, ne voulant sans doute ni se tenir tranquille ni mourir, il enfourcha son tricycle et partit.

J'aurais dû m'apercevoir de sa disparition au moins au souper. J'ai honte d'admettre qu'il n'en fut rien. Il est vrai qu'il s'agissait de l'un de ces repas rapides et confus où chacun mange quand il lui plaît, debout, en vitesse, avec quelques petits amis. Le casse-croûte à peine terminé, mon mari alla conduire les plus vieux à la partie de baseball organisée par la «Ligue des juniors». Quant à moi, je restais pour prendre soin des plus jeunes et mettre un peu d'ordre dans la cuisine. Même après le retour des sportifs, je ne m'aperçus pas de l'absence de l'un de mes fils.

Vers neuf heures, alors que le crépuscule penchait déjà vers la nuit, le téléphone sonna et j'entendis une voix tremblotante murmurer:

— Puis-je parler à papa?

— Qui es-tu? demandai-je.

— C'est moi, maman, pleurnicha le petit gars. Papa peut-il venir me chercher?

— Où es-tu? dis-je, incrédule. Je te pensais dans ta chambre!

— Je suis dans une pharmacie près d'un lot vacant. Il y a une église de l'autre côté de la rue. Je voudrais retourner chez nous, mais je ne sais pas comment faire.

Le coeur me serra. J'appelai mon mari au téléphone. Il se renseigna auprès du pharmacien et alla chercher notre fuyard, le grondant doucement sur le chemin du retour. (À l'arrivée à la maison, les gronderies à la mère ne furent pas aussi mielleuses.)

Depuis ce jour-là, j'ai pris l'habitude de compter régulièrement mes enfants... avant et après les repas, et au coucher. Parfois même après l'heure du coucher, comme cela arriva quelques années plus tard.

Par une chaude nuit d'été, je m'éveillai vers 3 heures du matin et je me souvins d'avoir oublié mon recensement de fin du jour. Je me traînai donc d'un étage à l'autre, d'une chambre à l'autre. Je m'éveillai tout à fait, les yeux écarquillés, quand je m'aperçus que le compte n'y était pas. Il m'en manquait un. Le gamin de quinze ans était parti!

Une fugue? Certainement! Avant le coucher, la veille au soir, toute la famille avait suivi à la télévision une émission spéciale sur les enfants déserteurs. John avait justement dit que ce devait être amusant de s'en aller ainsi. Amusant!... Comment avait-il pu me faire ça? Nerveuse, je procédai à une perquisition exhaustive dans chacune des pièces de la maison. Le misérable n'était nulle part. Que faire? Appeler la police? Ou, pire encore, éveiller mon mari?

L'heure suivante, je la passai à marcher de long en large, me tordant les mains, invoquant les saints Didace, Léocadie et Ephrem. (En ces circonstances dramatiques, je ne m'adresse pas aux saints connus. Ils sont bien trop occupés!) Où est mon petit? Qu'ai-je fait pour qu'il s'enfuie de la sorte?

À l'aube, j'ouvris la porte principale pour aller apaiser un peu ma panique par une bouffée d'air frais. Comme j'avançais sur la véranda, je butai contre un corps. Mon fils! Était-il mort!... Non! il ronflait.

— Cher enfant, te voilà de retour!

Et je me jetai sur lui en pleurant.

— Dieu merci, te voilà revenu! Pourquoi es-tu parti? Es-tu malheureux ici? Te sens-tu rejeté? Que veux-tu? Une augmentation de ton allocation? Un réfrigérateur mieux garni? Une annulation de ton rendez-vous chez le dentiste?... Entre, et nous allons en discuter.

Une fois debout, se frottant les yeux et s'étirant, il grogna:

— Laisse-moi tranquille, je te prie. Je ne suis allé nulle part. Il faisait si chaud, au troisième étage, sous les combles, que je suis venu dormir ici, au frais. Qu'est-ce qui t'a fait penser que j'étais parti?

Évidemment, il ne pouvait pas partir comme ça... Il n'avait même pas encore son permis de conduire.

* * *

À mesure que mes enfants vieillissent, je crains moins les fugues que les retours. En ce moment, cinq des enfants ont dépassé le stade du secondaire. Quatre d'entre eux ont établi leurs quartiers hors de la maison. (C'était du moins la situation à dix heures ce matin). L'état des choses étant tel, nous faisons l'expérience de ce qu'une de mes amies appellent «le jeu du yo-yo».

Pourquoi appelle-t-on les collégiens des «yo-yo»? Parce qu'ils quittent la maison, y reviennent, en repartent et réintègrent de nouveau le foyer. Ou encore, ils s'inscrivent au collège, le quittent, y retournent et le quittent une fois de plus... D'habitude, ils abandonnent leurs études deux jours trop tard pour que le prix de leur enregistrement leur soit remboursé. Et ils se réinscrivent deux semaines après que leur père leur a trouvé une situation. (Après avoir signé une attestation affirmant que le fils en question a laissé *définitivement* les études et est entré *définitivement* sur le marché du travail!)

Nous avons deux étudiants à Lincoln, Nebraska (à l'université, non au pénitencier!) et deux ici, à Omaha. Ce qui confond les régistraires (et moi plus qu'eux encore), c'est que ce ne sont jamais les deux mêmes qui fréquentent la même université, en même temps. On assiste à un continuel va-et-vient.

Quand notre aîné, Lee, termina son secondaire, il entra à l'Université du Nebraska, ici à Omaha, pour garder son travail à temps partiel.

Une année plus tard, John demanda à aller à l'Université du Nebraska à Lincoln, car il lui était impossible de vivre au même collège que son frère.

Quand mon troisième fils, Mike, gagna une bourse pour aller à Lincoln, son frère John, qui s'y trouvait, laissa ses études et se mit à travailler.

Le semestre suivant, Lee ayant décidé, à son tour, de laisser ses études, son frère John revint à Omaha, à l'Université près de chez nous. Pas pour longtemps, car Lee, ayant changé d'idée et s'étant réinscrit à Omaha, John repartit pour Lincoln.

Quand Mary «gradua» à son tour, elle aurait bien aimé s'installer à Lincoln, mais elle resta dans notre ville parce qu'elle venait d'y gagner une bourse. Le semestre suivant, la bourse de Mike, à Lincoln étant épuisée, il revint à Omaha.

Voilà où en sont les choses au moment où j'écris ceci. Du moins je le crois. En ce domaine, je ne suis jamais tout à fait certaine, tant les changements sont parfois rapides. Comment pourrais-je me tenir bien informée quant aux allées et venues de mes étudiants si les régistraires eux-mêmes n'y parviennent pas, eux qui ont sous la main des fichiers et tant d'autres sources de renseignements.

Reste le problème des livres empruntés aux bibliothèques. Quand ils ne sont pas retournés à temps — et c'est presque toujours le cas — il faut les dénicher. Où se trouvent-ils? Les recherches se compliquent du fait que mes jeunes ont pris la fâcheuse habitude de présenter aux bibliothécaires, au moment de l'emprunt, la carte d'un de leurs frères.

L'un de nos fils, Jim, décida de ne pas poursuivre ses études au-delà du secondaire. Quatrième dans la série, il passa la majeure partie de son enfance à subir des brimades. Ses grands frères le bousculèrent, le soudoyèrent, le menacèrent, le battirent. Malgré tous ces sévices, il les adorait, les suivant partout et obéissant à leurs ordres sans rechigner. Le seul endroit où il ne voulut pas les suivre fut le collège. Il préféra le service militaire aux études avancées. Il s'enrôla donc comme Marine. On lui enseigna là le judo, le karaté, les combats corps à corps, les tactiques de guérilla, non pour le préparer à la guerre, mais à ses visites à la maison. À son grand regret, ses frères aînés ne cherchent plus à le torturer. (Je me demande pourquoi!)

Jim nous a donc quittés pour devenir Marine. Notre aîné, lui, s'est marié. Deux autres de nos enfants ne logent plus à la maison, du moins pour le moment. Les quatre reviennent à leur «chez nous» de façon sporadique, selon leur fantaisie.

Alors que je travaillais dans notre cour arrière, ma voisine, Mary Jo, vint faire un brin de causette:

— J'ai vu Mike tantôt. Est-il en visite pour plusieurs jours?

— Pas Mike, dis-je. C'est John qui nous est revenu pour un court congé.

— Ah! mais je ne savais pas qu'il porte des lunettes.

— Ce n'est donc pas John que vous avez aperçu. C'est plutôt Jim, notre Marine. Il est venu en permission.

— Sa femme est bien jolie, fit remarquer Mary Jo.

— Jim n'est pas marié, dis-je. C'est sa belle-soeur que vous avez vue.

— La femme de John? demanda-t-elle. J'ignorais que John fût marié.

— John n'est pas marié. Cette jeune femme qui m'a aidée tout à l'heure, c'est Karen, l'épouse de Lee. Elle et lui sont ici pour les fêtes de Pâques.

— Vous devez être contente, dit Mary Jo, de les avoir tous à la maison.

— Mais ils ne sont pas tous à la maison, précisai-je. Par exemple, Mike est retourné au collège.

— Alors, qui est-ce qui tourne le coin là-bas et qui s'en vient en courant? dit Mary Jo, intriguée.

C'était Mike!

— Bonjour, maman! cria-t-il en se jetant dans mes bras, après avoir lancé son sac de paquetage sur la galerie. J'avais quelques jours de congé. Alors, j'ai pensé venir «boustifailler» avec vous autres.

— Merveilleux! dis-je, avalant un soupir. Je vais tout de suite sortir du frigidaire une tranche de steak supplémentaire.

9

Des vacances, ça?

Confortablement installés sur le patio, dans notre cour arrière, ma voisine Nancy et moi-même bavardions tout en dégustant une bonne limonade.

Soudain, Nancy changea de sujet et d'humeur.

— Je suis furieuse, dit-elle.

— Pourquoi? Qu'y a-t-il? demandai-je.

— Pour la première fois depuis longtemps, je ne travaillerai pas à l'extérieur cet été... Mais ce n'est pas de cela que je suis mécontente. Au contraire. Mais j'espérais profiter de cette liberté pour faire un beau voyage en automobile avec toute la famille. Hélas! Mon mari ne veut plus. À cause du prix exorbitant de l'essence, prétend-il, nous ne pouvons plus nous permettre cette dépense. Cela signifie que je vais passer l'été, cloîtrée dans la maison, avec les enfants. Peut-on imaginer pire?

— Oui! dis-je sans hésitation. Oui, je peux imaginer pire.

— Quoi? demanda-t-elle.

— Voyager en automobile avec tes enfants, dis-je. Tu manques d'expérience, Nancy. Tu n'as guère conduit tes enfants en voiture au-delà du terrain de jeux local. Moi, j'ai vécu dix jours l'enfer d'un voyage avec des jeunes.

À titre de mère de dix enfants, je m'estime qualifiée, — peut-être obligée — de renseigner les parents moins expérimentés sur les dangers de la vie en famille et, en particulier, sur le pire des dangers, celui des vacances en famille.

La nature et l'ampleur des risques dépendent évidemment de l'âge des enfants. Bambins, l'idée d'une randonnée les enthousiasme. Une fois en route, ils déchantent et s'ennuient. Adolescents, ils pourraient apprécier les longues excursions, mais elles ne les tentent plus.

Je comprends que nous tous, parents à un moment ou l'autre, nous cherchions à distraire et à instruire nos petits par des voyages. Nous les entassons donc dans une voiture et les amenons à la montagne (craignant toujours qu'ils tombent et se cassent le cou) ou à la mer (redoutant qu'ils ne soient emportés par les vagues). Ou encore dans une ville importante (où nous les traînons dans des musées, des théâtres et des restaurants, semblables en tous points à ceux où nous ne les avons jamais conduits dans notre propre ville).

Comme je redoute et le vertige des hauteurs et les traîtrises de l'eau, nous n'avons jamais organisé de séjours à la montagne ni au bord de la mer. En quelques occasions, nous avons commis l'erreur d'amener nos petits et nos grands dans une cité importante.

Avec dix enfants, prendre des vacances en famille, ce n'est pas pratique. Pire encore: c'est impossible! Nous avons divisé notre progéniture en deux groupes: un été, les plus jeunes, l'été suivant, les plus vieux.

Je serais bien en peine de dire laquelle de ces deux expériences fut la plus désastreuse.

Nous avons emmené les mioches à Kansas City, la ville idéale, nous semblait-il, pour des vacances familiales: pour les jeunes, «Les mondes du plaisir»; pour le papa, les parties de baseball des «Royals»; pour la maman, les musées. Comme nous vivons à Omaha, et que Kansas City n'est pas trop loin, un voyage de trois heures avec les gamins, ça s'endure. Ce n'est pas trop proche non plus et cela donne aux gamins l'impression d'un vrai voyage.

Pour que l'aventure ne soit pas trop coûteuse, nous avions planifié notre budget: le jour des prix réduits aux «Mondes du plaisir» et la soirée pour toute la famille au parc de baseball. Pour le logement, des réservations à un motel au tarif raisonnable.

Avant même de partir, j'eus l'intuition que le voyage serait pavé de pierres d'achoppement. En effet, au cours de la préparation des bagages, je fis une triste constatation: durant les six premières semaines de leurs vacances, mes diablotins s'étaient promenés, vêtus de guenilles. (Comment expliquer qu'on ne voit pas ses propres enfants sinon quand on pense que d'autres les regarderont?) Ainsi la première dépense «inattendue» consista à habiller mon monde. J'amenai donc toute la marmaille au magasin à rayons et j'achetai des shorts, des t-shirts, des maillots de bain et des chaussures de tennis. Je procurai aussi à chacun et chacune un vêtement qui leur était jusque-là inconnu, un vêtement au nom bizarre: «pyjama»! J'expliquai que les pyjamas sont portés la nuit par des personnes civilisées qui jugent inconvenant de dormir en sous-vêtements.

Une fois les achats terminés et les bagages complétés, ce fut le départ. En voiture! En route!

Quelle embardée!

Des gens d'expérience m'ayant prévenue, je ne fus pas trop surprise des tiraillements, des bousculades, des vomissements et des bâillements. Ce qui me laissa époustouflée, ce fut le nombre d'arrêts obligatoires aux toilettes, échelonnées le long du chemin. En une circonstance, il fallut même stopper près d'un épais buisson pour une urgence.

Quel mystère! Comment un petit bonhomme qui a passé toute son année de maternelle sans même savoir où se trouvaient les w.c. à son école, oui, comment le même petit bonhomme ne peut-il faire dix kilomètres en voiture sans avoir à céder aux exigences de la nature?

Nous avions prévu un trajet de trois heures. En fait, à cause de toutes ces haltes imprévues, nous avons mis cinq heures à atteindre notre destination. À l'arrivée au motel, nous avons compris tout de suite pourquoi il affichait des « prix raisonnables». Pas de piscine, pas de cafétéria, pas de télévision! Cette austérité ne l'empêche pas d'être achalandé. Nous en eûmes bientôt la preuve. En effet, à la réception, on nous dit que les occupants de la suite de trois chambres qui nous était destinée avaient décidé de prolonger leur séjour d'une semaine. En conséquence, nous devrions nous accommoder de deux petites pièces où seraient installés des lits de camp supplémentaires.

Je me révoltai!

Dans notre maison de dix pièces, j'ai déjà de la difficulté à me garder saine d'esprit. Et pourtant, je puis consigner les bagarreurs dans des chambres différentes et même me réfugier pour quelques instants de repos dans ma chambre au troisième étage. Je ne me sentais pas le courage de passer trois jours et trois nuits à partager deux étroites pièces avec six enfants et leur insensé de père. Insensé... pas tout de suite peut-être, mais il le serait sûrement avant minuit.

Le seul autre endroit disponible à Kansas City, ce soir-là, c'était l'hôtel le plus chic et le plus luxueux de la ville. Nous pourrions nous y loger pour un prix légèrement inférieur à celui de l'achat d'une maison à Mission Hills. Pour convaincre mon mari, j'eus recours à un argument toujours efficace: «Aimerais-tu mieux avoir à me payer des traitements psychiatriques?»

L'hôtel était d'une somptuosité telle que j'eus peine à le quitter, le lendemain matin, pour accompagner toute la famille aux «Mondes du plaisir». Ce fameux parc d'amusements tient les hautes promesses de la publicité faite à son sujet. J'aimerais seulement vous avertir qu'en plus des montagnes russes, des boutiques exotiques et des autres divertissements, il existe là un jeu très populaire. On pourrait l'appeler: «La surveillance des enfants».

Nos garçonnets couraient les manèges, les carrousels et autres attractions, à la poursuite d'émotions toujours plus fortes. Nos fillettes allaient d'une boutique à l'autre, en quête du plus grand nombre d'endroits où dépenser notre argent. Et nous, mon mari et moi, pendant ce temps-là, essayions de ne pas les perdre de vue. Personne, semblait-il, ne voulait aller en même temps dans la même direction. Nous nous époumonions à leur crier: «Rendez-vous dans une heure au casse-croûte!» Directive inutile pour deux raisons: des casse-croûte, il y en avait un peu partout; seuls papa et maman avaient des montres.

Tout alla assez bien au long de la journée. Mais le soir venu, peu avant le moment du départ, un oiseau de malheur s'abattit sur nous. En effet, notre plus jeune n'était pas au ralliement et personne ne l'avait vu depuis au moins deux heures. Il s'était égaré.

Comment expliquer cette disparition? Le grand frère chargé de surveiller son cadet s'était déchargé de cette responsabilité sur l'une de ses soeurs. Elle-même avait demandé à Ann de s'occuper du petit, «juste quelques secondes». (Je lui dis de ne pas pleurer. Nous savions tous que Pat n'avait pas besoin de tant de temps pour s'éclipser.)

Après délibérations, nous avons estimé que le plus sage était de nous rendre ensemble aux «Services de sécurité». Bien nous en prit. C'est là, en effet, que nous avons retrouvé le petit égaré. À notre arrivée, il essayait de convaincre le responsable de la sécurité d'une vérité pour le moins paradoxale à laquelle lui-même semblait croire dur comme fer: «Je vous le dis pour la dernière fois, Monsieur. Moi, je ne suis pas perdu. Je sais exactement où je suis. Mais c'est ma famille qui est perdue parce que je ne sais pas où elle se trouve!»

Le lendemain, nous avons visité Kansas City, ses maisons si plaisantes à regarder, ses voies rapides si bien planifiées, sa fabuleuse Country Club Plaza les fameuses fontaines et le reposant parc Swope. Le soir du même jour, nous sommes allés à la partie de baseball au Truman Sports Complex. Température idéale. Sièges parmi les meilleurs. Un lot de joueurs-étoiles.

Hélas! Nous n'avons pas pu voir toute la partie. À la seconde manche, nous avons dû partir pour ne pas être écrabouillés par la foule. Non! Il n'y eut pas de bousculades! Le stade est moderne, vaste, sans ces couloirs étroits qui sont propices aux embouteillages. Non! Tout simplement, les partisans du club local ne prisaient pas, mais pas du tout, l'attitude de nos six enfants qui criaient à tue-tête: «Allez-y, les Yankees! À bas Kansas City! Bravo, New York! Chou, Kansas!»

La dernière journée, nous nous sommes rendus à Independence pour visiter la bibliothèque Truman et voir les documents, les photos et les souvenirs laissés par l'un des plus fascinants présidents des États-Unis. Hélas! Nous n'avons pu voir ni les documents ni les photos ni les souvenirs de Truman parce qu'on nous a expulsés *manu militari.* C'est que l'un de nos gamins, celui de dix ans, s'était installé au volant de la limousine présidentielle et faisait semblant de la conduire à toute vitesse tandis que son frère, celui de onze ans, installé sur le marche-pied, hurlait: «Vive le chef!»

J'ai compris la réaction énergique des gardiens. Mais je n'ai pas pu m'empêcher de penser que le vieil Harry, eusse-t-il été là, se serait bien amusé du spectacle. Chose certaine, il ne nous aurait pas obligés à payer le dommage fait à la poignée de la portière. Après tout, ne s'agissait-il pas d'une vieille voiture?

En somme, le voyage fut un fiasco. Peut-être ce fiasco était-il dû à la trop grande jeunesse de nos excursionnistes? Nous nous reprendrions, mais avec nos adolescents... Et ce serait un succès!

10

De nouveau, en route!

Avant de s'embarquer pour un voyage avec leurs adolescents, les parents devraient connaître une vérité très importante: dès qu'ils en entendront parler, le projet déplaira aux jeunes, et davantage tout au long de sa réalisation.

Devant le Grand Canyon, vous et moi tomberons béats d'admiration. Les jeunes, eux, regarderont cette huitième merveille du monde en véritables blasés. Ils y verront seulement une fissure sans intérêt. Au lieu de contempler ce phénomène, banal à leur gré, ils auraient préféré de beaucoup employer leur temps à des activités plus utiles et plus passionnantes comme: dormir, écouter des disques « rock», assister à la reprise, à la télé, d'un bon vieux film western.

Je devinais que nos adolescents se montreraient d'abord rébarbatifs à l'annonce d'un projet de voyage avec nous. Je le savais: même s'ils sont un père et une mère, des vieux restent des vieux. Surtout en vacances! Mais j'entretenais, dans un coin secret de mon coeur, une vivante espérance. Une fois en chemin, me disais-je, ils se montreront intéressés, peut-être même enchantés. C'est donc avec confiance que je les convoquai pour leur communiquer nos intentions.

— J'ai une belle surprise pour vous, leur dis-je, avec de l'enthousiasme dans la voix... Votre père et moi allons vous emmener à Chicago.

— Pourquoi? demanda l'un d'eux.

— Qu'est-ce que tu veux dire? demandai-je à mon tour en riant. Que signifie ton « pourquoi»?... Nous voulons vous donner l'occasion de connaître cette métropole extraordinaire. Voir le « Loop». Visiter le musée des sciences et de l'industrie. Aller le long de « Sheridan Road», admirer les maisons fastueuses, les impressionnants pavillons de l'Université. Faire une randonnée en bateau sur le lac Michigan. Ne croyez-vous pas que tout cela va être passionnant?

Sans attendre que vienne, à ma question, une réponse déplaisante, je poursuivis:

— Maintenant, j'aimerais que vous fassiez l'inventaire de ce que vous avez en fait de vêtements pour savoir ce qu'il faudra vous acheter avant de boucler les bagages.

Je ne voulais pas renouveler l'erreur commise avec leurs jeunes frères et soeurs. Cette fois-ci, je n'aurais pas de désagréables surprises, juste avant le départ.

Avec grande conscience, les gars inventorièrent leur garde-robe. Puis ils empruntèrent mes cartes de crédit pour aller acheter ce qui leur manquait. À leur retour, les bras chargés de paquets, je leur demandai.

— Avez-vous pensé à vous acheter des pyjamas?

— Des pyjamas? Voulez-vous dire que nous allons à Chicago simplement pour y dormir. Nous n'avons pas à partir de la maison pour cela. On peut dormir ici. Pas besoin de pyjamas!

— Alors, qu'avez-vous acheté? demandai-je.

À contrecoeur, ils m'énumérèrent la liste de leurs « aubaines»: une douzaine de boissons gazeuses, trois paquets de croustilles, douze tablettes de chocolat, une cartouche de cigarettes, quatre livres de viande fumée, trois pains à sandwich, un pot de cornichons à l'aneth, quatre albums de musique « rock» et quatre magazines dont les « chaudes» couvertures auraient pu faire fondre le chocolat, bouillir les cornichons et éclater les bouteilles d'eau gazeuse.

Je confisquai les magazines. J'allai même jusqu'à les brûler sur-le-champ avant que mon mari ne veuille les « censurer» ! Puis, je félicitai mes grands de s'être approvisionnés en nourriture. Je me disais: « S'arrêter à tous les vingt milles pour permettre à un petit bonhomme d'aller aux toilettes, c'est ennuyeux. Plus horripilant encore de faire des haltes aussi fréquentes pour éviter qu'un grand gars ne meure de faim.»

J'ajoutai même quelques gâteries à leurs réserves: un gâteau au chocolat, des biscuits, un thermos plein de café. Avec tout ce stock, on se rendrait au moins jusqu'aux frontières de l'Iowa.

Je me trompais. Nous n'étions pas encore sortis de notre ville d'Omaha qu'il ne restait plus rien. Il fallut faire halte à Council Bluffs pour le petit déjeuner, à Avoca pour une pause-café, à Des Moines pour le dîner, à Iowa City pour de la crème glacée, à Davenport pour des sandwiches qui aideraient à tenir bon jusqu'au souper.

À notre arrivée au motel de Lincolnwood, avant même la répartition des bagages, nos fils avaient déjà localisé la machine à boissons gazeuses, la machine aux cubes de glace, la machine à bonbons. Ils avaient même déjà téléphoné au « service des chambres» pour commander « quelques petites choses à grignoter».

Je finis par les envoyer à leurs locaux respectifs avec ordre de « s'habiller», car nous allions souper dans un restaurant ultra-chic. Agréable surprise: une heure plus tard, ils nous arrivaient dans le hall d'entrée, vêtus comme des princes, avec pantalons bien pressés, beaux vestons sport, jolies cravates, et tout et tout. Ils avaient si belle apparence que j'avais hâte de les exhiber.

En route donc vers le restaurant cinq étoiles! Une fois parvenus là et notre voiture bien stationnée nous entrâmes au foyer où un élégant maître d'hôtel nous accueillit.

Après un coup d'oeil scrutateur sur nos garçons, il déclara:

— Je regrette. Nous ne pouvons pas vous recevoir.

— Pourquoi? demanda mon mari. Nous avons fait les réservations nécessaires. D'ailleurs, votre salle à dîner est pratiquement vide. Vous ne me direz pas que toutes ces tables furent réservées avant notre téléphone.

— Il n'y a pas de problème quant aux réservations, Monsieur, reprit le maître d'hôtel. Il s'agit de tenue. Ces jeunes messieurs ne répondent pas à nos exigences.

— Comment cela? demanda mon mari, indigné. Ils ont un veston, une cravate...

— Je sais, Monsieur, interrompit le maître d'hôtel avec le plus grand calme. Mais ils n'ont pas de chaussettes... Vous pouvez peut-être aller à la cafétéria de l'autre côté de la rue.

Faisons contre mauvaise fortune bon coeur! Traversons la rue! Je me promènerai en robe de soirée, un cabaret à la main... Les gars, eux, furent enchantés. Ils savaient bien qu'au restaurant ultra-chic, on ne leur aurait pas offert comme à la cafétéria dix plats principaux ni la possibilité de les choisir tous.

Le lendemain, on alla faire une promenade en bateau sur le Lac Michigan. J'y eus froid et les garçons faim. Puis, on monta en ascenseur jusqu'à l'observatoire, sur le toit de l'édifice John Hancock, où j'eus le vertige, et les garçons eurent des tablettes de chocolat. Enfin, on visita un musée. Désastre! Les peintures ne pouvaient pas être plus belles... mais la machine distributrice de friandises était brisée!

Où se trouvait le papa pendant tout ce temps-là?...

Eh bien! il cherchait une place pour stationner sa voiture!... N'êtes-vous donc jamais allé à Chicago?

J'en étais certaine, le jour suivant satisferait tout le monde. Au programme, en effet, était inscrite la visite du musée de la Science et de l'Industrie. Là, même le moins curieux des jeunes s'enthousiasme (et le plus impatient des pères trouve facilement un stationnement).

Nous nous étions réservés plusieurs jours pour la visite de ce musée. Il était impossible, en effet, de tout voir en un après-midi. Les garçons, j'en avais la certitude, aimeraient s'attarder à la section de l'ère spatiale et à celle consacrée à la révolution industrielle. Ils aimeraient également essayer les plus récents instruments électroniques, examiner l'intérieur d'un sous-marin, se promener dans une rue vieillotte d'une ville vers 1910. Ils prendraient plaisir à tout cela, à la folie.

Ils détestèrent tout cela... à la folie. Le restaurant casse-croûte était fermé!

Ce fut la dernière de nos vacances en famille.

À l'encontre de plusieurs parents qui redoutent de passer tout l'été emprisonnés à la maison avec leurs enfants, j'aime cette période de l'année. C'est que mon mari et moi-même avons trouvé une solution parfaite au problème de vivre avec nos enfants, vingt-quatre heures par jour, sept jours par semaine. Solution qui saute aux yeux! Je me demande pourquoi nous ne l'avons pas découverte plus tôt.

La voici. Durant les mois d'été, depuis la fin des classes jusqu'à la fête du travail, nous dormons toute la nuit, et les enfants dorment tout le jour.

11
Au secours, mécaniciens!

L'an dernier, mon mari (le dernier des grands romantiques!) me donna un grille-pain à Noël. Je devrais faire ici un éloge dithyrambique et du mari et du grille-pain. Je ne le ferai pas. J'ai tort. D'autant plus que j'avais inscrit grille-pain en tout premier lieu sur la liste des présents que je désirais le plus. Comment pourrait-on s'étonner du choix? N'avais-je pas, pendant des années, tenté de fournir, en rôties, chaque matin, douze personnes, avec un appareil qui en fabriquait seulement deux à la fois.

Mon grille-pain cadeau de Noël pouvait en faire quatre en même temps. Sur ce point, il répondait à mes rêves. Mais son fonctionnement dépassait mes capacités. Au lieu du simple levier qu'il suffisait d'abaisser, j'avais à manipuler un lot de mécanismes si nombreux qu'ils auraient suffi, je crois, à téléguider des dizaines de fusées spatiales.

Sur cet appareil mirobolant, on voit d'abord un bouton pour le contrôle de la couleur de la rôtie: pâle, médium, brune ou noire. À l'autre extrémité, un autre bouton permet de choisir la contexture de la rôtie: ferme, molle ou entre les deux. Plus haut, un thermostat à ajuster selon l'état du pain: gelé, frais ou rassis. Plus bas, un dispositif pour garder une rôtie chaude, sans doute pour le gamin qui s'attarde dans sa chambre à chercher en vain une chaussette perdue. Un bouton au centre permet de nettoyer le plateau des miettes tombées. Enfin deux boutons — les derniers — semblent n'être d'aucune utilité. Peut-être les a-t-on placés là simplement pour la décoration.

— C'est un grille-pain fantastique, dis-je à mon mari. Mais il est si compliqué que je n'arriverai pas à le faire fonctionner.

— N'as-tu pas le mode d'emploi? demanda-t-il.

— Bien sûr, lui répondis-je. Le voici. En tout, seize pages! Quatre en japonais, quatre en allemand, quatre en un langage qui ressemble au suédois, plus quatre pages de diagrammes qui paraissent n'entretenir aucune relation avec l'appareil en question. Avec des trucs de ce genre, les Japonais se vengent perfidement de leur défaite lors de la deuxième guerre mondiale.

— Tu ne devrais même pas avoir besoin d'instructions, répliqua mon mari. Après tout, ce n'est qu'un grille-pain. *N'importe qui* devrait pouvoir faire marcher un machin comme ça.

À huit heures, le lendemain matin, j'aurais bien eu besoin de *M. n'importe qui.* J'avais déjà passé plus de quarante-cinq minutes à décoder le contrôle des couleurs, à me familiariser avec le régulateur de contexture, à pénétrer le secret du thermostat, à m'habituer au plateau pour les miettes, à m'interroger sur les interrupteurs anonymes (dont je finis par découvrir qu'ils signifiaient «en marche» et «arrêt»). J'avais poussé et tiré les boutons, je les avais tournés dans un sens puis dans l'autre, toujours sans résultat. Le grille-pain prodige s'entêtait à ne pas marcher.

Quand mon mari descendit après sa toilette, je lui dis:

— Il va falloir retourner ce grille-pain. Il est défectueux. Pas moyen de le faire chauffer. Les fils boudinés ne rougissent même pas.

Mon mari tourna l'appareil dans tous les sens, testa les boutons, les interrupteurs, les contrôles. Puis il dit, un sourire moqueur aux lèvres:

— Tu as raison!... Mais pour que les fils rougissent, il faudrait peut-être brancher l'appareil!

Comment aurais-je pu trouver cette solution? Quelle idée de cacher dans un compartiment secret la prise de courant!

J'admets ne pas posséder une mentalité électronique. La cause en est peut-être que je vécus ma jeunesse à une période où l'électronique ne s'était pas encore introduit dans les dictionnaires, encore moins dans les cuisines. L'entraînement reçu de ma mère sur la meilleure manière de tenir maison ne m'a guère préparée pour vivre dans un monde transistorisé, avec un lot de commandes presse-bouton, inventées par des Orientaux.

Chez ma mère, rien n'était compliqué. Par exemple, si elle voulait préparer une omelette, elle n'avait qu'à tourner la manivelle de son batteur d'oeufs. (Elle ignorait que sa machine, si simple, allait être plus tard qualifiée de portative. Tout comme électronique, ce mot n'était pas encore inventé. Chose certaine, maman n'avait pas à brancher son batteur sur une prise de courant quelconque.)

Aujourd'hui, pour exécuter la même opération, je dois aller chercher dans une armoire un gros et encombrant malaxeur (d'ordinaire encore collant des restes d'un « milk-shake »). Je dois ensuite trouver le bon bouton à pousser. C'est difficile. Il y en a tant! « Tourner, mélanger, remuer, brancher, taillader, râper, moudre, couper en lanières, mettre en purée, liquéfier». Nulle part: « battre des oeufs».

À en croire les placards publicitaires, ma machine à laver automatique mériterait l'appellation de « machine-miracle». Après usage, jour après jour, je ne l'ai vue opérer qu'un miracle, et encore, un bien étrange miracle. En effet, elle parvient à laisser le linge sale après l'avoir lavé deux fois et rincer trois fois. (Où êtes-vous donc, lessiveuses d'antan?) J'en ai bien peur, la déplorable performance de ma moderne machine s'explique par ma propre maladresse. J'y ai compté dix-sept boutons dont aucun n'indique «laver». Et je n'arrive pas à déchiffrer les soixante pages d'instructions. On y parle de treize modèles fabriqués par la même compagnie. Mais le mien n'est pas là.

Quand la machine-miracle se détraque, je dois avoir recours à un spécialiste, car j'ai l'impression que seul un docteur en génie mécanique peut comprendre un ensemble aussi complexe.

Ma mère ne connut pas ces épreuves, ces frustrations. Sur sa lessiveuse, on ne voyait ni commutateurs, ni boutons, ni leviers, ni roulettes. Il suffisait de brancher un petit boyau sur le robinet de l'évier. Si la machine ne s'emplissait pas, c'est qu'on avait oublié d'ouvrir les robinets. Si elle débordait, on n'avait qu'à dévisser en vitesse le bouchon de vidange.

Quand la machine refusait de se vider, ma mère plongeait son bras dans l'eau et allait pêcher la chaussette qui obstruait le renvoi. (La pauvre vieille machine voulait sans doute monter d'un cran dans l'échelle sociale, car elle imitait par avance «les engouffreuses de chaussettes» d'aujourd'hui.)

Ne fût-ce que par peur, le linge s'arrangeait pour sortir propre de la machine. Chaque morceau savait bien que s'il gardait ses taches et sa saleté, il serait battu sur la planche gondolée. Pour donner une saine frousse à mon linge à moi, j'installai une planche à laver d'autrefois bien en vue, face à ma sophistiquée de lessiveuse. Sans aucun résultat. Mon linge, le coquin, devine que je n'irai jamais m'abîmer les mains sur l'antique instrument de torture.

Comme vous pouvez vous en douter, d'autres appareils électriques me causent des ennuis. Ainsi:

a) Le fer à repasser. Celui de ma mère ne nous posait aucun problème angoissant: une unique clé à tirer ou à pousser pour « marche» et « arrêt». Par contre, seul un savant pourrait s'y reconnaître entre les multiples dispositifs du mien.

b) Le réfrigérateur, lui aussi, me laisse pantoise, avec son fabricateur de glace en cubes ou de glace broyée, son dégivreur automatique, son humidificateur, ses compartiments pour la viande, les légumes, les boissons gazeuses... (Tout cela marche mal pour la bonne raison que, selon l'expert en réparation, je ne sais pas m'en servir.)

c) La cuisinière. Je ne puis utiliser qu'un seul brûleur, les autres étant soit automatiques, thermostatiques ou encore trop graisseux. Et je ne puis les nettoyer, car j'ignore comment les débrancher. Je ne sais pas, non plus, comment manipuler les outils qui seraient nécessaires pour certains ajustements. Un outil entre mes mains paraît aussi déplacé que le serait un missel entre les mains d'un athée. Je ne saurais faire la différence entre une pince et une clé anglaise et le mot « screwdriver» me fait penser davantage à un breuvage rafraîchissant qu'à un tournevis.

J'ai grandi à une époque où, à toutes fins utiles, seuls les hommes se servaient d'outils. Les femmes se permettaient à peine l'usage d'un plantoir, d'un sécateur et de quelques autres instruments pour jardinage. Il était impensable que ma mère change un pneu, répare une prise de courant ou dévisse la trappe sous l'évier de cuisine. Spécialiste en art culinaire, elle aurait pu réciter d'un trait plusieurs recettes de cuisine, mais elle aurait été bien incapable de s'intéresser à un manuel de mécanique.

On n'a donc pas à se surprendre que ma formation familiale m'ait davantage préparée à travailler dans une cuisine plutôt que dans un atelier, au sous-sol d'une maison. Toutefois, si c'était à recommencer, je m'inscrirais aux cours de bricolage plutôt qu'aux sciences domestiques. La raison en est simple. Alors que la technologie moderne a fait des pas de géant dans le domaine des nourritures prêtes à servir et des vêtements prêt-à-porter, elle a misérablement régressé au rayon des jouets prêts à utiliser.

Arrêtez-vous un instant, je vous prie. Vous aurez probablement à remonter très loin dans vos souvenirs pour évoquer le dernier jouet que vous ayiez acheté «tout-fait». (Ma soeur prétend qu'un bébé est la seule chose qui nous arrive «pré-assemblée» de nos jours).

Prenons l'exemple des bicyclettes. De mon temps, quand un enfant arrivait à l'âge d'en avoir une, son père l'amenait au magasin d'articles de sport. Le gamin en ressortait, glorieux, au «volant» de sa nouvelle acquisition.

Il n'en est plus ainsi. De nos jours, vous amenez le mioche au magasin, vous choisissez la bicyclette dont le prix s'accorde avec vos disponibilités financières (c'est rarement celle que l'enfant préférerait). Cette démarche accomplie, vous attendez patiemment. Au bout d'environ six semaines, on vous avertit que le jouet en question est arrivé et que vous pouvez passer le prendre. Quand vous vous présentez, on vous remet une énorme boîte en carton, scellée, contenant 1,746 morceaux. Vous l'apportez à la maison. Là, les séances d'assemblage commencent et dureront trois bonnes journées.

Mon mari a le génie de la mécanique. Aussi, est-ce lui qui, année après année, s'est chargé de cette tâche ingrate. Mais, lors de l'achat de la dernière des bicyclettes Bloomingdale, il était en voyage, et le fardeau retomba sur mes épaules.

Nous avions commandé cette bicyclette comme cadeau d'anniversaire pour Patrick. Quand le magasin nous avisa de l'arrivée du précieux objet — en pièces détachées, évidemment, — notre cadet insista pour que nous allions ensemble le chercher tout de suite.

— Toi et moi, maman, dit-il, nous pouvons la monter. Rien de plus facile!

Consciente de l'absence des aptitudes requises, tant chez moi que chez Patrick (onze ans), j'appelai le vendeur.

— Pourriez-vous me rendre un très grand service?... Pourriez-vous assembler la bicyclette de Patrick?

— Avec grand plaisir, Madame, répondit-il. Ce sera seulement vingt-cinq dollars. Vous pourrez venir la chercher dans une dizaine de jours. Disons mardi en huit.

Je n'allais pas dépenser vingt-cinq dollars pour si peu de travail. D'autant que nous avions payé la bicyclette plus cher que le grand-père Cooney n'avait payé sa belle Pontiac, aux jours anciens. De plus, Patrick n'accepterait sûrement pas un autre délai d'une semaine.

Accompagnée de Patrick, je me rendis au magasin, pris livraison de la grosse boîte cartonnée, l'emportai chez nous et la déposai dans l'allée menant au garage.

— Il s'agit maintenant d'ouvrir ça, dis-je à Pat. Va me chercher ce qu'il faut pour éventrer ce machin-là.

Pat courut et ressortit bientôt de la maison avec mes meilleurs ciseaux pour manucure.

— Non! Patrick! Pas ça! dis-je. Trouve-moi quelque chose de plus solide.

Patrick revint avec un tournevis et des cisailles. À deux, nous réussîmes le dépaquetage. Une fois les morceaux éparpillés par terre, on chercha en vain le livre d'instructions.

Je téléphonai pour réclamer la brochurette manquante.

Sûr de son affaire, le commis me répondit:

— Il n'y en a pas. D'ailleurs, vous n'en avez pas besoin. Vous n'avez qu'à emboîter les sections du cadre, les unes dans les autres, boulonner le guidon et le siège, glisser les pédales dans leur tige... Et, hop! en voiture! C'est simple comme bonjour. Un enfant peut faire ça.

Je déteste cette dernière formule. En bien des circonstances, les enfants réussissent là où j'échoue, par exemple quand il s'agit de dévisser le couvercle de sûreté des flacons de remède ou de dégager le bec spécial d'une boîte contenant une préparation instantanée pour gâteaux.

Devant l'insistance de Pat, je finis par céder et me mis à l'oeuvre.

(Vous vous demandez sûrement où se trouvaient les grands frères de Pat à ce moment. Pourquoi n'étaient-ils pas là pour me donner un coup de main? Si je connaissais les trucs employés par mes adolescents pour disparaître quand il y a du travail à faire, je pourrais sans doute écrire un livre autrement intéressant que celui-ci et qui se vendrait comme des petits pains chauds.)

Une fois le cadre monté, je découvris que le guidon était orienté sud-sud-ouest. Je l'enlevai puis le replaçai nord-nord-est! On recommence! Cette troisième fois, direction parfaite. Mais voilà que la roue arrière se détache. On la remet, tout en grognant contre le manufacturier qui aurait dû rendre impossible un tel contretemps par une fabrication plus soignée. Puis, c'est la mise en place des pédales et du siège. Il reste la phase terminale, la pire: l'insertion des poignées du guidon.

Comment se fait-il que, toujours, le diamètre de la poignée soit de deux millimètres plus petit que celui de la barre où l'on doit l'introduire. On a beau pousser tout droit, un peu à gauche, un peu à droite, un peu en haut, un peu en bas, rien n'y fait. Toutes les manoeuvres échouent. La barre s'obstine à ne pas recevoir la poignée.

Comme je m'acharnais à vouloir résoudre cet insoluble problème, je vis venir ma fille de seize ans, Peggy.

Toute pimpante, toute sautillante, elle me demanda avec un sourire:

— Qu'est-ce que tu fais là, maman?

Je répondis par une question où perçait ma mauvaise humeur:

— Que penses-tu que j'ai l'air de faire?... Je viens de changer les poignées, en essayant de mettre la gauche à droite et la droite à gauche. Et ça ne fonctionne pas plus.

Redevenue sérieuse, Peggy me déclara:

— Tu t'y prends mal.

— Et alors, toi, tu sais comment faire?

— Bien sûr! Tu n'as qu'à saucer les poignées dans de l'eau chaude jusqu'à ce qu'elles s'amollissent. Puis tu graisses légèrement les bouts du guidon. Et le tout glisse sans effort, comme par enchantement.

— Où as-tu appris cela? demandai-je, émerveillée.

— Aux sciences ménagères, répondit-elle.

— Je pensais, dis-je, qu'on y enseignait seulement l'art culinaire et la couture.

— On a fait ça au premier semestre, dit-elle. On a maintenant au programme l'assemblage et la réparation des appareils ménagers et quelques notions élémentaires sur la mécanique automobile... Tu sais, maman, on a fait du chemin depuis ton temps.

— Vraiment? repris-je. Dans mon temps, les bicyclettes arrivaient avec leurs poignées aux bras, si je puis dire.

Je finis par mettre la bicyclette de Pat en état de roulement. Quand mon mari l'aperçut, il en fut ébahi et «menaça» de m'acheter, pour Noël, tout un jeu d'outils de bricolage.

— Si tu me donnes ça, dis-je, moi je te donne un divorce. Non! Pour Noël, je rêve d'un cadeau joli, dispendieux et totalement féminin. Surtout, rien d'utile, rien de pratique.

Il suivit mes instructions à la lettre en m'offrant un sac à main, très joli et qui avait coûté une petite fortune. C'était surtout un objet parfaitement inutilisable. En effet, la fermeture est tellement compliquée que je n'arrive pas à la faire fonctionner. Je ne parviens pas, non plus, à trouver le compartiment secret, à dégager le truc pour les clés, à démêler les cases pour les pièces d'identité et les cartes de crédit, ni à insérer mon carnet de chèques dans l'espace qui lui est réservé.

L'an prochain, savez-vous ce que je vais demander à mon cher et tendre époux? Rien d'autre qu'un diamant. Assemblé ou non! Peu importe!

12

«Le jardin de la victoire» dépose les armes et se rend

Je vais faire ici une déclaration qui me vaudra peut-être d'être exilée de l'État de Nebraska. M'y obligent ma conscience et... mon dos courbaturé:

JE N'AI RIEN D'UNE FERMIÈRE!

Je viens de vivre mes vingt-cinq dernières années dans ce très fertile Nebraska. J'ai bénéficié de l'hospitalité de ses habitants. J'ai même pris plaisir à partager leur orgueil au sujet de leurs succès agraires. Et pourtant, je dois confesser que je ne puis pas les suivre dans leur amour du sol. Je n'aime pas creuser dans la boue. Je ne prends aucun plaisir à semer et à récolter. Je ne veux pas être fermière. Même pas en amateur.

Comprenez-moi. Je n'ai rien contre les fermiers. Au contraire. Je les aime bien, car ils me permettent de céder à mon péché mignon: manger. Je vais même jusqu'à envier leur talent, ce don merveilleux que je ne possède pas.

Quand je veux savourer une tomate bien juteuse, une laitue bien croustillante, un épi de blé d'Inde bien doré et bien beurré, je vais les acheter au supermarché. Mieux encore, je les commande au garçon de table dans un restaurant. Ce que je ne veux pas faire, parce que je ne le puis, c'est de les cultiver.

En somme, et je le déclare à tue-tête, je déteste à mort le jardinage.

Pourquoi donc, en ce cas, ai-je passé mes trois derniers mois à patauger dans une boue empuantie de fumier? Pourquoi me laisser dévorer par les maringouins? Pourquoi respirer un air pollué par les insecticides? Pourquoi subir les égratignures d'épines? Pourquoi, dans la course vers les pieds de laitue, lutter de vitesse contre les lapins... et perdre?

Pourquoi toutes ces misères? Parce que j'ai épousé un type du Nebraska.

Quand je quittai mon Missouri natal pour devenir collégienne au Nebraska, j'étais portée à croire que les gens d'ici n'étaient pas tous fermiers. Je me disais: il y a aussi des éleveurs de bêtes à cornes, des gens de professions libérales, des commerçants. Des rumeurs circulaient selon lesquelles certains types nés et élevés dans la ville de Omaha, n'avaient jamais connu certaines expériences, tellement communes au Nebraska comme par exemple, se promener le long d'un champ de maïs, mettre la main à la charrue, s'éveiller aux cocoricos des coqs ou entendre un enfant dire: «Éplucher des épis de maïs, par cette chaleur, vous voulez rire?»

Trop tard, hélas! beaucoup trop tard, je dus me rendre à une évidence qui pourtant crève les yeux. Au Nebraska, même le plus sophistiqué des citadins garde une nostalgie folle de la campagne. Il ne peut regarder un lopin de terre non ensemencée sans aussitôt rêver d'y planter quelque chose, n'importe quoi, de préférence quelque chose de comestible.

Durant mes années de collège, je sortis avec les garçons sans tenir compte de mes préjugés anti-agricoles. Je me laissai fréquenter par des gars de la campagne quand ça me plaisait. Toutefois, lorsque vint le moment de me choisir un mari, je n'oubliai pas mes répugnances vis-à-vis de l'agriculture. Je choisis donc un intellectuel, un avocat qui se délectait, en cour devant un juge ou dans une classe devant des élèves. J'étais convaincue que mon professeur de droit serait tellement intéressé à ses gros livres qu'il n'aurait même pas une pensée pour la culture des tomates.

En fait, pendant les vingt premières années de notre mariage, mon mari ne se passionna que pour un seul passe-temps (où, d'ailleurs je lui offris une collaboration enthousiaste): voir pousser des enfants.

Vous pouvez deviner ma surprise quand, après vingt beaux étés sans jardin, je vis mon cher époux arriver du bureau, un soir, avec, en plus de son porte-documents, une pelle, une houe et un livre payé vingt-cinq dollars et intitulé: «Comment cultiver ce qu'il faut pour vos repas».

— J'ai toujours rêvé d'un jardin dans la cour arrière, dit-il, tout en étalant sur la table de cuisine une bonne douzaine de sachets avec leurs graines de semence.

À la vue de ces petits paquets aux couleurs bariolées, ma tête se mit à m'élancer, mes doigts se raidirent et je sentis une lancinante douleur au dos.

Soudain, je me vis ramenée à l'été de 1942. Nous étions engagés dans la Seconde guerre mondiale. Pour des raisons qui me restèrent toujours inconnues, on encouragea tous les Américains à cultiver un «Jardin de la victoire». Ma mère, comme toujours en avance sur son temps, prit une décision super-patriotique. *Notre* jardin de la victoire n'aurait pas la misérable dimension d'un mouchoir de poche. Il occuperait carrément un lot de quatre acres carrés et nous y cultiverions assez de légumes pour ravitailler, toute une année, l'école paroissiale à l'heure du lunch. Les écoliers n'auraient plus à apporter, dans un sac de papier brun, de ces «monotones et fades» (oh, non!... savoureux!) sandwichs à la gelée et au beurre d'arachides, avec des croustilles «graisseuses et dégoûtantes» (Au contraire!... délicieuses!). À l'avenir, on servirait aux écoliers des aliments «sains et nourrissants» comme, par exemple de merveilleux petits pois au beurre, des ragoûts d'épinards en cocotte et des navets «au gratin».

Le lunch serait offert à un prix incroyablement bas. Ma mère, en effet, avait réussi à réduire ses frais généraux à un grand minimum grâce à une main-d'oeuvre aussi peu rétribuée que possible. Euphémisme que cette dernière formule! Car nous, ses enfants, nous étions cette main-d'oeuvre et nous ne recevions pas un sou de salaire.

Tout le long de ces étés de guerre, mon frère, mes soeurs et moi-même avons labouré et semé, arrosé et sarclé, gratté et renchaussé. À la fin de l'été, nous avons apporté notre récolte à l'école. Puis, tout le mois de septembre, nous avons consacré nos soirées à éplucher le maïs, à écosser les pois, à décortiquer les fèves... et à cacher les navets. (Il était déjà assez déplorable de les cultiver. Nous n'acceptions pas d'avoir, en plus, à les manger).

Au simple souvenir des labours et de l'ensemencement, mon dos se remet à me faire mal. Quand j'évoque les épluchages de blé d'Inde, mes doigts se raidissent. De plus, la tête m'élance à la pensée des noms peu flatteurs dont nous affublaient nos camarades de classe quand le menu comportait des épinards en cocotte.

Avec les années, j'ai appris à apprécier le goût des petites fèves et des épinards. (Les navets, eux, sont encore sur ma liste noire... Ne m'en demandez pas trop!) Plus j'y pense, plus je crois que mon évolution vient non pas d'un changement dans mes goûts, mais de modifications dans les légumes eux-mêmes. On les présente aujourd'hui lavés à fond, bien propres, parfois même déjà cuits, dans des emballages que je qualifierais d'esthétiques. Ils ressemblent bien peu aux choses sales et crasseuses que nous extrayions de la boue de notre jardin...

Mon mari me tira de mes rêveries en me disant, sur un ton d'enthousiasme:

— Ça va être bien amusant. Et puis, mine de rien,

ça va nous épargner de fortes sommes. Nous allons en faire un projet familial. J'adore voir pousser les légumes.

Et c'est exactement ce qu'il fit: il regarda les légumes pousser.

Danny laboura. Timmy sema. Peggy arrosa. Annie sarcla. Patrick chassa les lapins du carré aux choux. Pendant ce temps-là, leur père, confortablement assis, surveillait du haut du porche. Comme le porche se trouve à l'avant de la maison et le jardin à l'arrière, le contrôle manqua de rigueur. On vit donc Danny labourer seulement la moitié du jardin et Timmy ensemencer l'autre moitié. Peggy, elle, arrosa les mauvaises herbes et Anna arracha les fèves (elles ressemblent tellement aux mauvaises herbes!) Patrick chassa les lapins, mais pour les faire entrer dans notre sous sol où, bien cachés et bien nourris, ils se multiplièrent et finirent par surpeupler le coin des chaudières.

Malgré tous ces avatars, certains légumes arrivèrent à maturité. Nous aurions sûrement obtenu de meilleurs résultats si nous avions lu et étudié le manuel apporté par mon mari. Nous en aurions sans doute tiré des conseils fort utiles: ne pas semer le blé d'Inde du côté ombragé de la maison, mettre des tuteurs aux jeunes plants de tomates pour qu'ils ne se brisent pas sous les bourrasques du vent, employer des insecticides à bon escient, laisser beaucoup d'espace entre les plants de concombre. Patrick prétend ne pas se souvenir du nombre de graines qu'il a enfouies dans le secteur «concombre». Chose certaine, les voisins et nous-mêmes n'eurent pas à tondre le gazon à l'arrière de nos maisons. Les tiges rampantes des concombres le recouvrirent complètement et l'empêchèrent de pousser.

Hélas! nos tomates eurent beaucoup de misère à trouver leur place au soleil, écrasées qu'elles étaient par le blé d'Inde ambiant. Le blé d'Inde lui-même n'eut pas grand succès. Malgré la hauteur prodigieuse des tiges, les épis, peu nombreux, mesurèrent au mieux trois pouces de long. Nous n'avons jamais connu la cause de cette anomalie. Et je me garderai bien d'enquêter sur le sujet au cas où mon fermier de mari serait tenté de vouloir recommencer l'expérience l'an prochain.

Je poussai un énorme soupir de soulagement quand arriva la première gelée. Je m'empressai d'enlever tout ce qui restait de tiges de blé d'Inde et de concombre. Le sol fut promptement ameubli pour qu'y pousse, l'an prochain, un gazon sauvage semblable à celui d'autrefois.

Les dernières lignes que je viens d'écrire scellent ma condamnation à l'exil. Car s'il est quelque chose dont les gens du Nebraska sont fiers — au-delà même de leurs bien-aimés jardins —, c'est de leurs pelouses, au gazon si distingué. Vont-ils me supporter encore longtemps avec mes attitudes sacrilèges à l'égard de l'agriculture et de l'embellissement?

13
Leurs menus favoris

Je l'admets volontiers, je suis probablement la seule mère de famille aux États-Unis qui n'ait pas son livre de recettes. J'avoue en avoir déjà possédé. Plusieurs même. Ainsi, à la fête organisée en mon honneur peu avant mon mariage, j'en reçus un très beau de mon amie Rita, avec qui j'avais partagé un logis... et mes repas. Un autre, plus complet encore, me fut donné comme cadeau de noces, anonymement (j'ai toujours soupçonné ma belle-mère d'en être la donatrice). Un troisième vint, cinq ans plus tard, d'une mère (la mienne) confuse, vraiment gênée. Un autre encore se trouvait parmi mes cadeaux un jour de Noël. Il m'était offert par un mari (également le mien, hélas!). Enfin, l'année dernière, à l'occasion de mon vingt-cinquième anniversaire de mariage, mes enfants me présentèrent «Recettes pour une commençante». C'était une farce que je n'ai pas trouvée drôle, pas drôle du tout.

J'ai réussi à me débarrasser de ces livres d'enfer, soit en les «perdant», soit en contribuant à des tombolas de livres, soit en les offrant en cadeau à ma bru qui est trop polie pour me dire qu'elle n'en veut pas.

En vérité, ce genre de recueils me déprime. Même quand il y a un nombre réduit d'ingrédients et un minimum d'opérations, j'échoue lamentablement. Jamais, au grand jamais, le produit terminé ne ressemble à la somptueuse illustration du modèle.

J'ai essayé des ouvrages sans images, ceux qui sont publiés par des groupes paroissiaux ou d'autres organismes de bienfaisance afin d'amasser des fonds pour leurs bonnes oeuvres. On annonce ces livres comme contenant des « recettes simples et faciles», compilées par des ménagères qui, comme moi, n'aiment pas cuisiner. Comment ose-t-on les présenter ces recettes comme simples; certaines d'entre elles exigent jusqu'à trente-deux ingrédients pour un simple spaghetti? Je persiste malgré tout à encourager ces gens charitables, mais je me hâte de faire disparaître leurs fichues publications de peur que des membres de ma famille, les ayant vues, ne me demandent de m'en servir.

J'évite donc tout ouvrage du genre, même si le titre est alléchant et plein de promesses. Toutefois, ces jours derniers, j'ai fait une exception pour un recueil vraiment sympathique, intitulé «Ce que nous aimons le plus à manger». Il s'agit de recettes rédigées par des élèves de première année d'une école élémentaire. Vous les lirez sûrement avec grand plaisir. Mais, je vous en prie, ne les essayez pas. Ce serait catastrophique.

Pour leur garder leur saveur, je les ai laissées telles quelles, dans la sauce pimentée de leurs fautes d'orthographe.

POULAIS AVEC DE LA MOUSTARDE

Acheté un poulait, le dévlopé, l'arroser de moustarde en poude. Mette deçus du sel, du poiv, du beur. Mettre un ognon dedan. Placé le poulait dans une marmit. Laissé au four. Retiré quan sa sent bon.

SPAGATI À LA VIENDE

Acheter de la viende aché. Faire des bouletes groses comme une bale de pigne-pogne. Faire cuir dans l'uile. À côté faire cuir le spagati. À la fin, mettre les deu ensembe. Pis arrosé de soçe au tamates.

MAKARONI

Vous le cuisé. Vous enlevé l'ô. Donné-le avec du fromage.

AMBERGEURS

Aplatir la viand. Salez, poivrée. Monté le foure à 1000 degré. Aprè 2 heurs, sè prè. Oubliez pas le pin et le Katshup.

STÉK

Sé meilleure sur le barbequiou. Demandé à votre papa du charkol. Chauffé des deu côté. Cé tou.

TÔSTE À L'AILLE

Mettez 7 cuillérée à tabe d'aille sur du pain. 23 minute au fournau. Ont croque. Ça crake. Ces bon.

BÈGNES

Ce qui fô:
20 livre de beurre
3 dizène d'eufs
6 litte de lèt
20 onses de fleur
Koi fère:
Mélengé la fleur, le beurre, le suc. Étendre la pâtte aveq un rouhlo. Fair des rons avec des trou dedans. Metre au four. Sortir quan cest dorées, on sans lèch les babine.

SUC À LA CRÊMES

Mélengé ensembe de la castonnades, du suc blans et du lèt. Cuir à 1000 degré pendent 2 minute. Batte jus qua ça durciss. Coupé en caro. Délisieu!

TOURTIÈRE

y fau:

De la fleure, de l'ô fret, du cochons aché, des ognon, de l'aille.

Mettre la viandes sur la pâtes. Chôfé à 13 degrés pendant 4 minute et demis. Ça parfumes tout la méson.

EUX À LA KOQUE

Tu prend au tant d'eux que tu veut. Tu les faix chaufer dans de l'ô bouyante. Quan sa fait des bules, tu les enlève. Sest bon à manjé chau avec de la maillonnaise.

GATÔ

Partir aveq deu tasse d'hôt. Jeter dans l'hôt le paquè jaune qui vien du magazain. Maitre dans un moul. Maitre le moul dans le fourno. Kan la cloche sonne, s'est cui é près à menger.

BISQUI AU BEUR D'ARACHE-IDE

10 livre de beur d'arrache-ide. 30 tablet de choco-là. Mètre dans une grande casse-role. Fair chauffer 2000 secondes à 13 degré. Rien de meyeur!

GATEAU AU FRÈSE

Dabor de la craime dans un plâ. De la pâtte dans la craime. Des frèse dans la pâtte. Du sucre sur le toux. On alume la lumière du four-nô. Ouvrir et fermé la porte jusequ'a cuiss-on.

GATÔT «FORÊS NÈGR»

7 culléré de soda. 2 tasede farin. 4 eu cassé. Glassage. 3 coco. Cuire une heur. Servire avec du lai.

LIMONADES

4 sitron. On lé presse pour a-voir le ju. Bocou dô. Avec de la glasse, cé trè bons.

AMMEBURGHER

Faire des rondels de beuf avec les mins. Mètres dans le fournot à 57 degrés pandant 20 jour. Maître sur des brioche. Avec mou-tarde ou catch-up.

ASPAIRGE

Dabor les lavé pis lés cuires.

GATÔT AU CHOCLAT

On le préparent. On le cui. On le menge.

J'ignore qui a rédigé les deux dernières de ces brillantes recettes. Je parierais qu'il s'agit de fillettes qui auront plus tard, j'en suis sûr, des talents culinaires assez voisins des miens.

14

L'histoire au féminin contre l'histoire au masculin

Je viens de prendre conscience d'une très grave anomalie. Le long des siècles, l'histoire fut toujours écrite par des hommes. Jamais personne n'a demandé aux femmes leur version des événements.

Qu'est-ce que l'histoire? Est-ce autre chose que la version mâle des faits passés, version devenue crédible du seul fait qu'elle réussit à se faire imprimer. Plus le récit a vieilli, moins il a risqué d'être contesté. Quand il entra dans les manuels scolaires, il acquit un caractère d'infaillibilité.

Quelle preuve a-t-on que le premier narrateur ne s'est pas trompé? Jouissait-il du sens de l'observation, d'un bon jugement? Ne s'est-il pas laissé influencer par ses préjugés? Contrôlait-il suffisamment son imagination? Nous n'en savons rien. Et nous gobons sans broncher ce que «l'histoire» nous dit de l'ancienne Grèce, des guerres de César en Gaule, de l'administration de Roosevelt. Et nous ne nous inquiétons pas de savoir s'il n'y aurait pas une autre face de la vérité. (Celle vue par les femmes).

Plus j'avance dans la vie, plus je doute de l'exactitude de l'histoire officielle. On accepte, les yeux fermés, le récit d'un bonhomme qui n'était même pas sur place. Le type en question s'est probablement contenté de compulser des rapports faits par ses voisins, ou pire encore, par les enfants de ses voisins.

Voulez-vous un exemple des distorsions qu'on peut faire subir aux faits? En voici un, encore tout palpitant d'actualité. Je le prends dans le journal de ce matin où l'on peut lire un titre sensationnel en lettres capitales: L'INCENDIE FAIT RAGE PENDANT QUE LA MÈRE BAT SON ENFANT SANS DÉFENSE. Une photographie compromettante appuie l'accusation. On y voit des pompiers à la course, avec leurs gros casques métalliques et leurs épais imperméables. L'un d'eux a laissé tomber un énorme boyau pour maîtriser une femme furieuse dont le fils a l'air tout ébranlé.

Je puis d'autant mieux contester l'authenticité du récit que j'étais moi-même l'actrice principale du pseudo-drame.

«L'INCENDIE FAIT RAGE» lit-on dans le journal... Laissez-moi rire! Notre gril au charbon de bois avait lancé par-ci par-là des étincelles après que j'eus aspergé le feu de quelques gouttes de kérosène. Il ne s'en échappait qu'un peu de fumée... Disons que l'aspersion fut peut-être forte et que les étincelles aient pu sembler des flammes. Mais la situation était maîtrisée. Pourquoi les voisins perdirent-ils la tête et appelèrent-ils les pompiers? Pourquoi le service des incendies alerta-t-il les journaux? Je fus la personne la plus surprise du monde quand j'entendis les sirènes. Elles venaient de deux directions et hurlaient à qui mieux mieux. (Envoie-t-on toujours, sur le lieu d'un sinistre, à la fois, les voitures à incendie et une équipe de secours?) Bientôt, médusée, j'aperçus des pompiers qui venaient vers moi à toute vitesse, brandissant des haches et traînant, à travers ma pelouse fraîchement ensemencée, quatre-vingt pieds de boyaux. Ils étaient suivis de près par un journaliste-photographe qui portait trois caméras en bandoulière. J'avoue que je n'aurais pas dû laisser la mauvaise humeur me dominer. Assurément, si j'avais su que ma photo paraîtrait dans le journal du lendemain matin, je n'aurais pas choisi ce moment-là pour donner une taloche à mon grand flémard de dix-sept ans qui, l'innocent, venait de me demander: « Quand est-ce qu'on mange?»

Cet exemple ne nous invite-t-il pas à une sérieuse réflexion? Comment ajouter foi à ce qu'on lit?

Souvenez-vous de la révolution française. Peut-être Marie-Antoinette fut-elle tout simplement une ménagère incomprise. Peut-être passa-t-elle tout un après-midi à cuire des biscuits et des gâteaux pour les paysans. Peut-être ces ingrats revinrent-ils pour lui déclarer brutalement qu'ils auraient préféré du pain.

Quel dommage que les femmes ne complètent pas, à leur manière, les récits rédigés par les hommes! Jacqueline Onassis n'ajouterait-elle pas un grain de sel savoureux aux livres masculins consacrés au clan Kennedy? Si l'ouvrage de Winston Churchill, « Les plus belles heures », s'est maintenu, pendant plusieurs semaines, à la première place parmi les livres les plus vendus, quel n'aurait pas été le succès d'un volume écrit par sa femme Clémentine sous le titre « Nos heures les plus joyeuses». Enfin, que j'aurais aimé voir Eleanor Roosevelt remettre à leur place les biographes de son président de mari. Je sais qu'elle a écrit une autobiographie sous le titre: « De ceci, je me souviens». Combien sensationnelle aurait été la suite d'un tel ouvrage, avec comme titre: « De ceci, je ne me souviens plus» !

En toute vérité, il faut bien reconnaître que les femmes voient la vie sous un angle qui n'est pas celui des hommes. J'en eus la preuve un soir que j'assistais à une réception en l'honneur d'un couple dont le mari venait d'être élu au Congrès des États-Unis. Alors que nous étions un groupe d'amies autour de l'épouse de l'élu, celle-ci nous fit un récit coloré et enthousiaste de sa première visite à la Maison Blanche.

— C'était de toute beauté et vraiment émouvant, dit-elle d'une voix vibrante. C'était un soir de juin. Il faisait chaud. Par bonheur, une petite bruine venait parfois nous rafraîchir alors que nous attendions en file l'honneur d'entrer à la Maison Blanche. Vous ne pouvez deviner qui se trouvait juste devant nous. Nul autre que le couple Ted et Joan Kennedy! Les Howard Baker, eux, nous suivaient. Que de célébrités, mon Dieu, que de célébrités! Après avoir salué personnellement le Président et son épouse, nous sommes passés à la majestueuse salle à manger. On nous y servit un banquet fabuleux: coq au vin beaujolais, petits pois aux amandes, mandarines au vouvray... un vrai délice! Et pour couronner cette soirée incomparable, imaginez!, un concert par le génial violoncelliste Pablo Casals. On se serait cru au paradis!

Une heure plus tard, j'entendais le mari décrire le même événement.

— Quelle soirée infernale! s'exclamait-il. C'était proprement affreux. Avant d'entrer à la Maison Blanche, il nous fallut attendre en file sous une pluie torrentielle. Pour comble de malchance, nous nous trouvions coincés entre Teddy Kennedy et Howard Baker qui s'échangeaient des remarques acérées au sujet d'un projet de loi stupide. Le défilé prit tellement de temps qu'il fut impossible de prendre un apéritif avant le repas. Le souper lui-même fut infect. Un ragoût de poulet à soulever le coeur, des petits pois aux noisettes (j'aime bien les petits pois et les noisettes, mais pas les deux ensemble). Comme dessert, des oranges tranchées que l'on aurait cru arrosées de vinaigre. Enfin, pour mettre le fion à ce gâchis, on nous amena à la salle de l'Est pour entendre un vieux bonhomme qui grattait une espèce de gros violon. Penser que j'aurais pu rester à la maison à regarder, à la télé, une belle partie de football. C'était à faire enrager un ange!

Je ne prétendrai pas que ce compte rendu masculin soit faux. Mais si j'avais à insérer le récit de cette soirée dans un manuel d'histoire, je choisirais sans hésitation la version féminine.

De même, si j'avais à parler, au cours d'une leçon d'histoire, du colossal «blizzard» de 1975, je préférerais d'emblée la narration féminine au récit masculin.

Ici, au Midwest, nous sommes enclins à qualifier de blizzard n'importe quelle tempête de neige un peu forte. En fait, un vrai blizzard, un authentique, n'arrive qu'à tous les cinquante ou cent ans. Et je puis dire que j'ai vécu le blizzard de ma vie en 1975.

Le 10 janvier de cette année-là, nous les gens d'Omaha, à notre réveil, avons assisté au déchaînement brutal d'un vrai blizzard: neige épaisse, tombant à gros flocons, thermomètre descendu brutalement sous zéro, vents de cyclone, congères grossissant à vue d'oeil. Circulation immobilisée, écoles, magasins, bureaux, etc. tous fermés. (Pas d'écoles! De quoi rendre folles les mamans à peine remises des vacances de Noël).

D'ordinaire, je maintiens notre garde-manger rempli. Par exception, il se trouvait pratiquement vide quand la tempête se déchaîna. C'est que les enfants, plus affamés que de coutume au cours de leurs vacances, avaient passé par là comme une nuée de sauterelles. Prisonnière de la neige avec dix enfants et deux chiens, j'ai dû me tirer d'affaires, comme mère nourricière, avec quatre pots de beurre d'arachides, une bouteille de ketchup et seize boîtes — entamées — de céréales. Pendant cinq jours!

Où mon digne mari se trouvait-il pendant ce temps-là?... Il était parti pour son travail, bien entendu. Les rues étaient impassables et la voiture inutilisable. Mais le cher homme, après un regard sur les enfants, les chiens et l'épouse, estima sans doute qu'il valait mieux braver les éléments en furie. Je ne le blâme pas d'avoir risqué sa vie pour atteindre son quiet et douillet bureau, à proximité d'une distributrice automatique de friandises, à deux pas d'une bibliothèque bien fournie et à une dizaine de mètres d'un bar-restaurant. Ce que je lui reproche, c'est de ne pas m'avoir emmenée.

Je n'exagère en rien en affirmant que ce fut une semaine mémorable. Le vent hurlait au-dehors et les enfants à l'intérieur. Ils passèrent leur temps à se disputer, à se batailler, à se tirailler, au point de mener leur mère jusqu'au bord d'une folie furieuse. Je leur suggérai de jouer au Monopoly. «Pas possible, dirent-ils. Des pièces manquent.» Je leur suggérai de s'asseoir près du feu de cheminée et de chanter. Le feu ne consentit pas à s'allumer et les chansons n'étaient pas chantables. Je comprends maintenant pourquoi les jeunes d'aujourd'hui ont besoin de se droguer pour supporter quatre heures de musique moderne. Elle est littéralement cacophonique.

Je ne pus même pas les envoyer déblayer l'allée le long de la maison. Nos pelles avaient disparu. Quelqu'un les avait laissé traîner et elles étaient ensevelies quelque part sous seize pouces de neige.

Au quatrième jour de cet horrible internement, les jeunes étaient troublés psychologiquement au point de se mettre d'eux-mêmes à leurs devoirs d'algèbre. Et moi, pour éviter une crise d'hystérie, je m'enfermai dans le sous-sol et je fis du repassage quasiment jusqu'à ce que mort s'ensuive.

Pendant tout ce temps, Monsieur relaxait à son bureau, occupé à croquer des tablettes de chocolat, à feuilleter des magazines, à se rendre au restaurant pour se sustenter d'un bifteck-frites avec bière. Nous communiquions plusieurs fois par jour par téléphone. Il m'assura s'employer à mettre à jour ses dossiers. Je le soupçonnai de s'amuser plutôt à faire des mots croisés et à écrire des lettres. Ma propre mère m'a même montré une lettre que ce cher Monsieur lui avait écrite lors du blizzard. En la parcourant, ma conviction s'ancra plus que jamais sur l'énorme différence entre l'histoire au masculin et l'histoire au féminin. La voici cette lettre, chef-d'oeuvre de semi-inexactitudes.

Chère Madame Burrowes,

Juste quelques mots pour vous dire qu'ici tout va à merveille, en dépit du mauvais temps. À propos, n'ajoutez pas foi, je vous prie, aux hyperboles des médias. Leurs histoires sur «le blizzard du siècle», c'est proprement de la foutaise. Je me demande même pourquoi les écoles sont fermées. De mon temps, on enjambait des congères au moins dix fois gros comme ceux que j'aperçois de la fenêtre de mon bureau. Teresa et les enfants sont bien au chaud à la maison. Ils jouent probablement d'interminables parties de Monopoly, tout en engouffrant des platées de sucre à la crème. Que je les envie! J'ai cru de mon devoir de venir à mon travail et m'y voici confiné. Mais ne vous inquiétez pas à mon sujet. Je puis me procurer des tablettes de chocolat à la distributrice automatique. Elles sont très sèches, mais elles demeurent mangeables. Au besoin, je pourrai me procurer les abominables sandwichs qui se vendent à un casse-croûte près d'ici.

Je viens justement de parler à Teresa au téléphone. J'ai l'impression que s'organisent à la maison de gentils petits bals à l'huile. J'ai cru entendre en trame sonore, les joyeux cris des enfants qui accompagnaient des battements scandés de mains et de pieds. Teresa, elle-même, riait si fort que j'ai pensé un moment qu'elle pleurait. Que j'aimerais être là-bas, parmi les miens.

Cordialement,

Lee

* * *

À toute règle, il y a des exceptions. Il arrive parfois que l'histoire au masculin rende un plus fidèle compte rendu des faits. Ainsi en fut-il le soir où John démolit ma voiture. Heureusement, personne ne fut blessé, ce que l'on peut considérer comme presque miraculeux, étant donné l'ampleur des dommages.

John avait accepté, bien à contrecoeur, de conduire sa jeune soeur et plusieurs de ses compagnes à un exercice de chant. Juste comme il venait de recueillir la dernière des copines, John s'engagea sur une avenue à grande circulation. C'est là qu'il fut heurté de plein fouet. Malgré la violence du choc, chauffeur et passagères s'en tirèrent indemnes.

Voici comment les choses se passèrent, selon John:

— J'avais obéi au feu rouge par un arrêt complet. Les fillettes ricanaient, gloussaient, se tiraillaient à qui mieux mieux. Mary, à son habitude, caquetait sans désemparer. Je n'écoutais personne. J'étais tout à mon affaire, attendant que les feux changent. Au vert, je regardai à droite et à gauche. La voie étant libre, je m'y engageai... et bang! bang! Le gars qui m'est rentré dedans a admis tout de suite qu'il n'avait pas allumé ses phares, par distraction, en dépit de la noirceur. Par distraction toujours, il n'avait pas tenu compte de la lumière rouge. Je suis peiné que notre voiture ait été tellement endommagée. C'est qu'ayant perdu la maîtrise du volant, je suis allé m'écraser sur un arbre. Peut-être était-ce là un réflexe automatique qui répondait à ma volonté subconsciente d'éviter tout accident aux filles?

Voici maintenant le récit de sa soeur Mary.

— C'était évident, John voulait épater mes amies. Je ne cessais de lui crier: REGARDE OÙ TU VAS! RALENTIS! TOURNE AU PREMIER COIN! NON, PAS ICI, C'EST UNE RUELLE! UN PEU PLUS LOIN! LE FEU EST VERT! AVANCE IMBÉCILE! DÉPÊCHE-TOI, AUTREMENT NOUS ALLONS ARRIVER EN RETARD! ATTENTION! Mais notre Don Juan en herbe ne m'écoutait pas...

L'une des fillettes, la blonde, ne fit pas de longs commentaires. Elle se contenta de dire:

— Ce fut terrible! Je veux dire: terrifiant. Rien qu'à y penser, j'en frissonne... J'ai même perdu le beau pompon de mon chapeau!

Une autre, la brunette, défendit son héros:

— John n'est d'aucune façon responsable. Il fut merveilleux... Je me demande ce qui serait arrivé sans lui... Grâce à lui, tout le monde s'est tiré d'affaire sans même une égratignure.

Et elle ajouta à l'adresse de son fier chevalier:

— Dis donc, John, ne penses-tu pas qu'une fille qui s'en va sur ses quatorze ans devrait avoir la permission de se laisser fréquenter?

Une petite rousse tint à y mettre son mot:

— Un accident? Quel accident? Souvenez-vous, les filles, que je n'étais pas avec vous autres. Si jamais ma mère soupçonne que je ne suis pas allée à ma leçon de piano, je risque de passer un mauvais quart d'heure.

Plus je vieillis, plus je crois en la nécessité de nommer un comité mixte — masculin et féminin — pour écrire une «Histoire officielle». Autrement, nous continuerons à ne pas savoir où se trouve la vérité.

Imaginez un étudiant de l'an 2000 essayant de comprendre la présidence de John Kennedy à partir des récits contradictoires de Schlesinger et de Victor Lasky.

Le pis! Qui a dit vrai à propos du scandale Watergate? Woodward et Bernstein? Haldeman? Jaworsky? John Dean? le président Nixon... ou Art Buchwald?

15

Quelqu'un aurait-il la bonté de m'appeler un taxi?

Le 15 juin 1975.

Mlle June Welty, assistante gérante,
Section des assurances familiales,
Alexander et Alexander Inc.
Omaha, Nebraska

Chère Mlle Welty,

Par les présentes, je vous annonce que nous venons d'acheter une seconde voiture. En conséquence, je vous demanderais de bien avoir la bonté de réviser notre police d'assurance de façon à protéger non seulement mon mari et moi-même, mais aussi nos quatre garçons qui ont leur permis de conduire, à savoir: Lee, John, Michael et James. Merci de tout coeur.

Bien vôtre,
Mme A. Lee Bloomingdale (Teresa)

* * *

Le 25 juin 1975.

Mlle June Welty,
Section des assurances,
Alexander et Alexander Inc.
Omaha, Nebraska

Chère Mlle Welty,

Je reçois à l'instant votre compte. À la vue du montant de la première prime, je me pose une question: «A-t-on voulu plaisanter? Est-ce une farce, un mauvais tour?»

Je comprends que les primes soient élevées quand il s'agit de garçons célibataires, âgés de moins de vingt-cinq ans. Mais, dans le cas présent, la hausse est ridicule et injustifiée.

Vous seriez gentille de me fournir des explications.

Bien vôtre
Mme A. Lee Bloomingdale (Teresa).

* * *

Le 3 juillet 1975.

Mlle June Welty,
Section des Assurances,
Alexander et Alexander Inc.,
Omaha, Ne.

Chère Mlle Welty,

Veuillez agréez mes excuses.

Je ne savais vraiment pas que les accidents et les infractions aux lois de la circulation haussaient les primes à ce point.

Par ailleurs, j'avais oublié que chacun de nos quatre garçons avait eu un accident l'an dernier et que trois d'entre eux avaient été mis à l'amende par la police. (Une mère de famille s'efforce d'oublier ces petits incidents.)

Mon chèque vous parviendra sous peu.

Avec ma gratitude,
Mme Lee Bloomingdale (Teresa)

Le 16 septembre 1975.

June Welty, S.A.F.
Alexander et Alexander Inc.
Omaha, Ne.

Chère Mlle Welty,

Par les présentes, je vous avise que mon fils Lee a eu hier soir, un léger accident alors qu'il conduisait ma voiture. Une estimation des dommages vous sera envoyée par chacune des quatre personnes impliquées.

Je vous enverrai un rapport officiel sur ce contretemps dès que Lee aura expliqué, à ma satisfaction, comment il s'y est pris pour tamponner trois voitures et un camion qui se trouvaient dans le même terrain de stationnement.

Bien vôtre,
Mme Lee Bloomingdale (Teresa)

* * *

Le 9 janvier 1976.

June Welty,
A. et A. Inc.,
Omaha, Ne.

Chère June,

À mon grand regret, je me vois obligée de vous informer que, durant la grosse tempête d'hier soir, une bouche d'incendie est venue se placer sur le chemin de ma voiture conduite par mon fils John.

La voiture elle-même n'a pas subi de dommages, néanmoins, la ville tiendrait à être payée pour une nouvelle bouche d'incendie. Vous recevrez la facture dans le plus bref délai.

Bien vôtre,
Teresa Bloomingdale
(Mme Lee Bloomingdale)

* * *

Le 16 avril 1976.

Chère June Welty,

Me voici de nouveau.

Et, de nouveau, désolée.

Mike m'assure qu'il a bien regardé des deux côtés, à droite et à gauche. La motocyclette est vraiment « arrivée de nulle part».

Par bonheur, le conducteur de la motocyclette ne fut pas blessé.

Par malheur, le conducteur de la motocyclette était un policier en fonction.

Notre prime d'assurance va-t-elle en être augmentée?

Bien vôtre,
Teresa Bloomingdale

* * *

Le 10 juin 1976.

Chère June,

Je viens vous aviser que mon fils Lee habitera désormais au South Dakota. Puisqu'il ne demeure plus ici, veuillez enlever son nom de notre police d'assurance. Aurons-nous droit, de ce fait, à un remboursement partiel de notre dernière prime?

Bien vôtre,
Teresa

* * *

Le 5 juillet 1976.

Chère June,

Je vous retourne le remboursement partiel sur notre dernière prime. Veuillez l'encaisser comme un acompte sur la prochaine prime. Le montant en sera sans doute plus élevé à la suite de l'accident survenu à Jim le 28 du mois dernier.

Veuillez abaisser à 100 $ la franchise et augmenter à un million la limite de nos responsabilités.

Un gros merci.
Nerveusement,
Teresa

* * *

Le 4 septembre 1976.

Chère June,

Ceci pour vous aviser que mon fils John va déménager à Lincoln, lundi prochain.

Dès ce jour-là, vous pourrez rayer son nom de notre police d'assurance.

Bien vôtre,
Teresa

* * *

Le 2 janvier 1977.

Chère June,

À propos de l'accident survenu la veille du Jour de l'An et dont je vous ai parlé ce matin au téléphone, je vous enverrai mon rapport dès que Mike et Jim se souviendront de deux faits importants:

1) lequel des deux conduisait à ce moment-là?
2) qu'est-ce qui fut heurté?

Je vous souhaite une heureuse année 1977.

Teresa

* * *

Le 19 mars 1977.

Chère June,

Veuillez ajouter le nom de notre fille Mary à notre police d'assurance.

Aura-t-elle droit à un rabais du fait qu'elle ne fume pas?

Bien vôtre,
Teresa

* * *

Le 11 avril 1977.

Chère June,

Notre police d'assurance couvre-t-elle les dommages causés par le feu à l'intérieur de la voiture?

Mary fume maintenant. Veuillez annuler le rabais que vous lui aviez accordé.

Bien vôtre,
Teresa

* * *

Le 2 septembre 1977.

Chère June,

Veuillez ré-inscrire le nom de Lee sur notre police d'assurance. Il vient de réintégrer la maison.

Par contre, veuillez rayer le nom de Mike, car il vient de partir pour le collège.

Merci
Teresa

* * *

Le 1er décembre 1977.

Chère June,

Veuillez enlever le nom de Lee de notre police d'assurance, car il vient de se marier.

Veuillez inscrire de nouveau le nom de John, car il est revenu à la maison.

J'espère que tous ces changements ne vous jettent pas dans une confusion aussi grande que la mienne.

Bien vôtre,
Teresa

* * *

Le 15 mars 1978.

Chère June,

Veuillez enlever le nom de Jim de notre police d'assurance car il s'est engagé comme Marine.

Pendant un certain temps, paraît-il il sera chauffeur

d'autos militaires... Je me demande ce que les Marines vont avoir à payer comme prime d'assurance!

En tout optimisme,
Teresa

* * *

Le 1er octobre 1978.

Chère June,

Je vous remercie d'avoir inscrit Dan sur notre po lice d'assurance.

Ci-inclus, l'estimation des dommages à nos deux voitures lorsque Dan fit marche arrière pour sortir la familiale du garage et emboutit la berline qui se trouvait sur le chemin.

Nos primes vont-elles augmenter si le chauffeur numéro un de la familiale (mon mari) se met à prendre des calmants?

En tout pessimisme,
Teresa

* * *

Le 7 janvier 1979.

Chère June,

Je vous serais reconnaissante de bien vouloir réviser notre police d'assurance.

Mon fils John a quitté la maison pour aller loger en ville. Veuillez rayer son nom.

Par contre, Michael est revenu. Veuillez inscrire son nom.

Serait-il possible de doubler la limite de nos responsabilités pendant que Jim sera en congé chez nous?

Si notre état-major national décidait de mettre un Marine au volant de toutes et chacune des voitures militaires, nous n'aurions plus besoin d'engins nucléaires pour intimider nos ennemis.

Bien vôtre,
Teresa

P.S. Mary aimerait savoir si elle a droit à un remboursement du fait qu'elle n'a pas mis la main au volant depuis douze mois.

* * *

Le 29 décembre 1979.

Chère June,

Voici des bonnes et des mauvaises nouvelles.

Les bonnes: Mike nous quitte et se trouve à rejoindre ses trois frères hors de notre police d'assurance.

Les mauvaises: la veille de son départ, Mike a complètement démoli ma voiture.

Ci-inclus l'estimation des dommages.

Veuillez faire le chèque à mon nom. Je n'aurai qu'à l'encaisser pour le remettre ensuite à un marchand de bicyclettes.

Est-il exact qu'on n'oublie jamais comment conduire une bicyclette?

Bien vôtre,
Teresa

* * *

Allô, Alexander et Alexander? Ici, A. Lee Bloomingdale. Puis-je parler à June Welty, s'il vous plaît?... June, ici Lee Bloomingdale. J'ai voulu faire un cadeau-surprise à Teresa. Je viens de lui acheter une nouvelle voiture. Je voudrais une protection complète... Oui! les jeunes vont la conduire. D'abord Mary et Dan. Puis Peggy qui va recevoir son permis ce mois-ci. Quant à Ann, aurai-je à l'inscrire quand elle obtiendra son pré-permis. Ne vous inquiétez pas de Tim et de Pat. Ils sont trop jeunes. Pendant que j'y suis, j'aimerais savoir, June, si vous pourriez assurer la motocyclette de John. Il m'a demandé ce renseignement l'autre jour. Auriez-vous la bonté de vous occuper de tout cela pour moi, June?... June?... June, êtes-vous là? Allô?...

16
Divorcer? Pas le temps!

On nous demande parfois comment nous avons réussi, mon mari et moi, à faire durer notre mariage. (Le deux juillet prochain, nous aurons été mariés depuis toujours et pour toujours). Quand la question nous est posée, nous répondons à peu près ceci:

— Nous aurions eu maintes fois l'occasion de divorcer, n'eût été un facteur important: les interruptions.

Chaque fois que s'amorçait entre nous une très grosse chicane, un incident survenait qui requérait notre attention immédiate. Ainsi un enfant tombait de son tricycle. Ou bien un petit se plaignait d'une amygdalite. Ou encore, l'un de nos dix vomissait et éclaboussait toute la voiture. Il fallait alors, d'urgence, donner un beau bec aux genoux égratignés, faire enlever les amygdales, nettoyer la voiture. Une fois l'ordre rétabli, nous avions oublié l'objet de notre querelle.

Entendu! les interruptions à elles seules n'expliquent pas la permanence de notre mariage. Il y eut aussi l'amour, la loyauté, ma peur de voir ma mère me tuer si j'avais seulement envisagé de quitter son bien-aimé gendre. Il y eut surtout la plus puissante force de dissuasion: le problème de la garde des enfants.

Quand on a dix enfants, on ne peut pas traiter cette question à la légère. Bien sûr, mon mari aurait insisté pour que, dans l'éventualité d'un divorce, ils me restent tous sur les bras. Et j'aurais été aussi intraitable dans ma volonté de les lui remettre tous. Mais un autre facteur entrait en ligne de compte. De nos jours, plusieurs juges laissent aux enfants eux-mêmes le soin de choisir.

Tant mon mari que moi-même frémissions d'horreur à la seule pensée que nos enfants puissent, face à un juge et en présence de journalistes, soupeser publiquement nos qualités et nos défauts. Surtout nos défauts! «Avec qui ai-je le moins envie de rester? Avec papa? Avec maman?» Il y a déjà assez de nos voisins pour connaître nos faiblesses. Pas besoin que tout le reste du monde les apprenne par les journaux

Donc la question de la garde des enfants est importante. Et c'est peut-être pour cela que beaucoup de couples attendent, pour se séparer, que leurs enfants soient devenus adultes.

À propos, je me demande pourquoi un homme et une femme pensent à divorcer après s'être endurés l'un l'autre pendant deux décades et plus. Après tant d'années, elle, l'épouse, a eu le temps de s'habituer à ses ronflements et à sa manie de manger des craquelins au lit. Et lui, le mari, a eu le temps d'accepter son refus de repasser ses pyjamas et de lui préparer du gruau pour déjeuner. Pourquoi donc, malgré tout, tant de couples dans la cinquantaine et la soixantaine divorcent-ils?

Justement l'autre soir, à son retour du bureau, mon mari m'apprit le divorce imminent d'un bon vieux couple ami.

— Je n'arrive pas à le croire, dis-je. Ce n'est pas possible! Un si brave type! Une femme si exquise! Et après tant d'années de mariage!

— Des rumeurs fondées, dit mon mari, veulent que le bon vieux Ted se soit amouraché d'une «poulette». Et il veut l'épouser.

— Pourquoi l'épouser? demanda l'un de nos collégiens, dont la logique masculine s'est mise à l'heure d'aujourd'hui.

— Certaines personnes, répliqua son père, continuent de considérer le mariage comme une bonne institution, si étrange que cela puisse paraître aux types de ta génération.

— Ce qui semble encore plus étrange aux personnes de *ma* génération, dis-je, c'est qu'un homme, marié depuis plus de vingt-cinq ans, veuille risquer de reprendre toutes ses expériences: changer les couches des bébés, entendre les criailleries des écoliers, endurer les folies des adolescents. Ouf! Quel âge a son amie?

— Environ vingt-cinq ans, dit mon mari.

— Mon doux Jésus! Quel fou de s'embarquer de nouveau dans cette affreuse galère!

Mon mari enchaîna:

— Voici où réside le mystère à mes yeux: comment un vieux bonhomme peut-il parvenir à intéresser une fille qui a la moitié de son âge? Jamais, au grand jamais, une jeune beauté, bien sexée, n'a essayé de flirter avec moi.

— Tu seras bien gentil, repris-je, de ne pas paraître aussi désappointé en disant cela. D'ailleurs, sur quoi te fondes-tu pour prétendre que ce sont toujours les femmes qui prennent l'initiative dans ces histoires-là? À mon avis, ce sont plutôt les hommes qui papillonnent et content fleurette.

— Penses-tu? demanda mon mari, avec une surprise qui ne semblait pas feinte. Crois-tu qu'un homme peut trouver le temps de s'adonner à ces jeux folichons?

— Ni le temps... Ni l'argent! dis-je en éclatant de rire. Tu es bien chanceux d'avoir une famille nombreuse. Même si tu le voulais, tu n'aurais pas assez de ressources financières pour gagner le coeur d'un beau «pétard».

— Qu'est-ce que tu dirais, maman, si jamais papa

se faisait une petite amie? dit Tim, alors qu'il m'aidait à essuyer la vaisselle.

— Je dirais à ton père de l'amener ici pour qu'elle vienne à son tour faire la vaisselle, dis-je à Tim, en le pressant affectueusement contre moi.

Les enfants s'inquiètent-ils de ce genre de possibilités? Sûrement. J'en eus une nouvelle preuve quand Annie déclara, horrifiée:

— Ne serait-ce pas terrible si papa se permettait une aventure amoureuse?

— Ne t'en fais pas! lui dit son grand frère Dan. Ça n'arrivera jamais!

— Qu'est-ce qui te rend si certain? demanda Annie.

— Parce que je connais papa, répondit Dan. Si papa voulait rencontrer une fille, il demanderait à maman d'organiser le rendez-vous. Il me confierait la tâche d'aller chercher la donzelle en voiture et de l'amener ici. Eh oui! il tiendrait à la voir ici, car tu sais à quel point papa déteste sortir le soir. Et il ne se passerait rien, car vous autres, les jeunes, vous arriveriez toujours au moment crucial.

Ne vous l'ai-je pas déjà dit? Les interruptions ont sauvé bien des mariages.

Ce qui a empêché également bon nombre de divorces, c'est l'observance rigoureuse d'une loi toute simple mais très efficace: «Que les époux évitent comme la peste de poser certains actes ensemble!» Par exemple:

1) Ne jamais prendre une douche ensemble. Ne pas suivre cette mode idiote, sans doute lancée par un producteur de films en mal de publicité. Il voulait probablement se faire coller l'étiquette: «Pour adultes avertis». (Mais je m'étonne qu'il ait pu finir cette oeuvre pornographique, car les vedettes ont dû cesser de se parler dès les premières scènes). Deux individus qui veulent prendre une douche ensemble sont confrontés à bien des problèmes dont le plus sérieux réside dans les dimensions

même du lieu. Je n'ai pas encore vu de douche assez grande pour que deux enfants puissent s'y décrotter à la fois. Comment deux adultes pourraient-ils s'y livrer ensemble à leur joyeux ébats? Et puis que faire si le mari désire que l'eau soit froide et si l'épouse la préfère chaude? Et si lui opte pour l'eau en jet et elle pour l'eau en pluie? Et qui a priorité pour le savon? Si le savon manque, qui sortira pour aller en chercher? Si le même fichu savon glisse des mains, qui se penchera pour le ramasser? (Elle, sans doute!... Comme je connais les hommes!) En toute franchise, je puis difficilement imaginer quelque chose de plus dommageable au mariage que de prendre une douche ensemble.

2) Ne jamais aller au supermarché ensemble. Je le sais, certaines jeunes mariées invitent leur mari à les accompagner pour leur montrer les méfaits de l'inflation galopante. «Tu vois toi-même, diront-elles, combien il m'est impossible de joindre les deux bouts à l'intérieur du budget que tu m'as fixé.» D'autant que la présence même de l'époux accentuera le déficit. En effet, je n'ai jamais vu d'homme qui garde les mains dans ses poches quand il parcourt, aux côtés de sa femme, les allées d'une épicerie. Les hommes sont comme les enfants. La différence, c'est que les jeunes attrapent leurs friandises dans le secteur des céréales tandis que les maris cèdent à leur péché mignon au secteur réservé aux gourmets. Tandis que Madame tâte les laitues et les concombres pour choisir les meilleurs, Monsieur glisse discrètement dans le panier familial des anchois et des avocats. L'épouse peut insister pour que son mari reste auprès d'elle « pour lui donner son opinion». Mais ce système, lui aussi, accroîtra les dépenses. Pendant qu'elle s'attardera devant le comptoir des viandes, hésitant devant les différentes sortes de boeuf haché, lui plaidera en faveur d'un bifteck d'aloyau. Au moment où elle prendra deux pains, lui s'emparera d'une douzaine de beignets et de six petits gâteaux. Sur le che-

min vers la caisse, qu'elle passe loin des bonbons! Qu'elle fasse un détour au besoin! Autrement, le déséquilibre budgétaire prendra des proportions tragiques. Donc, petite Madame, n'emmenez jamais votre cher et tendre époux à l'épicerie.

3) Ne vous mettez pas à deux pour punir un enfant. Une théorie moderne suggère aux parents de s'associer pour juger l'enfant et, au besoin, le châtier. Je suppose que c'est pour donner au coupable l'impression qu'il ne pourra pas s'en réchapper, à un contre deux. De malheureuses expériences m'ont appris une vérité incontestable: chaque fois que mon mari et moi, nous nous sommes unis pour punir un enfant, c'est l'enfant qui, seul, s'en est tiré indemne. D'ordinaire, le père croit en l'efficacité du châtiment physique (une bonne fessée, et c'est fini!) tandis que la mère préconise plutôt les réprimandes verbales (les criailleries!) qui irritent le père plus qu'elles ne corrigent l'enfant. Quand la maman parvient à persuader le papa qu'il vaut mieux renoncer à la fessée, ce dernier se reprend en criant: « D'accord! Pas cette fois-ci! Mais, toute cette semaine, je lui interdis de sortir!» À quoi la mère réplique: « Tout mais pas ça! C'est pas toi qui auras à l'endurer à longueur de journée!»

En principe, le mieux serait que les deux s'asseoient et discutent paisiblement de la situation avant d'imposer une punition quelconque. De la sorte, ils ne se disputeraient pas au moment de l'imposition du châtiment. Les jeunes votent entièrement en faveur de cette solution. C'est qu'ils sont certains d'une complète impunité. En effet, quand leurs parents trouveront le temps de s'asseoir et d'analyser l'incident, celui-ci aura été oublié, balayé par le tourbillon de la vie.

Pour ma part, il m'a toujours semblé qu'une mère de famille commettait presque un péché mortel quand elle proférait la menace: « On va attendre que ton père soit revenu à la maison. Là, tu vas y goûter.» Parler ainsi, c'est placer injustement sur les épaules du père une tâche qui n'est pas sienne dans la circonstance. Si vous voulez terroriser le mécréant, si vous tenez à ce qu'il subisse «l'agonie de l'attente», dites-lui quelque chose dans le genre de: «Je vais te punir dès que j'aurai trouvé ce qui peut te faire le plus mal». À seulement redouter ainsi le pire, le gamin sera déjà assez puni.

4) Ne jamais faire ensemble le ménage des armoires, des placards, des penderies ou du grenier. Les jeunes couples, m'a-t-on dit, échappent au problème en le remettant indéfiniment à plus tard. Mais dans des foyers comme le mien, où l'on est fidèle à la tradition d'un nettoyage périodique, il importe de bien déterminer les territoires respectifs. «À toi, cette armoire, à moi celle-là!» Surtout, ne pas regarder ce dont l'autre se débarrasse. Autrement, le mari rescapera de la poubelle ce que sa femme vient d'y jeter. Elle, de son côté, prétendra ne pas pouvoir se passer de ce qu'il vient de mettre aux déchets. Croyez-moi, des disputes sérieuses peuvent éclater à propos d'objets aussi insignifiants que le palmarès de sa dernière année au collège (à lui), et son premier carnet de bal (à elle).

Mieux vaut laisser tout en place. Et lorsque les armoires, les placards, les penderies et le grenier débordent, on rétablit l'ordre par un bon déménagement.

5) Laisser l'époux seul chercher ses pinces. Les maris se métamorphosent (pour le pire!) quand ils ne trouvent pas leurs précieuses pinces. Avant même d'ouvrir leur coffre à outils, ils ronchonnent, car ils présument que les pinces n'y sont plus. (D'ordinaire, leur présomption est exacte.) Le plus doux des maris se transforme en fou furieux quand il constate la disparition de ses pinces. Les pires accusations se mettent alors à pleuvoir sur le plus proche suspect. Pour de mystérieuses raisons, celui-ci, ou plutôt celle-là se sent obligée d'aider son mari dans ses recherches. L'épouse empirera la situation si elle

se défend. Que dire si elle va jusqu'à déclarer: «Tu les a probablement laissées sur le patio après t'en être servi samedi après-midi»? Parler ainsi, c'est aussi imprudent que de mettre le feu à un baril de poudre.

La plus élémentaire sagesse recommande à l'épouse de se tenir loin. Quand son homme trouvera les fameuses pinces, il pourra inventer un mensonge et prétendre qu'elles étaient dans un tiroir de la cuisine «où *quelqu'un* a dû les placer par distraction».

* * *

L'autre soir, comme nous nous préparions à nous mettre au lit, je dis à mon mari:

— À la réflexion, je ne devrais pas être tellement surprise du divorce de Ted. Je les ai vus ensemble récemment au supermarché. Elle lui reprochait de bourrer le panier d'aliments de luxe. Et lui contre-attaquait en l'accusant d'avoir perdu ses pinces.

— Non, tu n'y es pas! La cause, c'est la jolie fille récemment promue secrétaire privée au bureau de Ted.

— Comment sa femme a-t-elle pris ça? demandai-je.

— Pas trop mal, apparemment. Elle vient de partir en voyage aux Bahamas avec l'avocat qui s'occupe de son divorce. Il y a même, paraît-il, un mariage à l'horizon.

— Je n'y comprends plus rien, dis-je. Les vois-tu, à leur âge, avoir à s'habituer à un nouveau conjoint? Je suis bien contente, pour ma part, de n'avoir pas à tout recommencer. Je n'aurais pas l'énergie nécessaire pour une nouvelle lune de miel.

Que gages-tu? me chuchota mon cher amoureux, tout en éteignant la lumière.

J'avoue que certains éléments positifs contribuent à maintenir un mariage dans la chaleur permanente d'un beau brasier d'amour.

17

Qu'y a-t-il au menu, ce soir, madame cordon bleu?

L'autre jour, ma bru Karen me téléphona.

— Auriez-vous l'obligeance, dit-elle, de me donner votre recette de fèves au lard? Lee insiste depuis plusieurs jours pour que je vous la demande. D'après lui, vos fèves sont un régal et les miennes une abomination. Je n'y comprends rien, car j'ai fidèlement suivi la recette du recueil que vous m'avez donné. Auriez-vous un procédé secret pour si bien réussir?

— Un procédé secret? dis-je.

J'hésitai une seconde. Devrais-je le lui révéler? Une tradition séculaire veut que les grands chefs ne communiquent jamais leurs trucs personnels. Mais dans ce cas? Karen ne fait-elle pas partie de la famille maintenant? De plus, si mon fils n'est pas content de ce que lui sert Karen, est-ce que je ne risque pas de le voir rebondir à ma table?

Je répondis donc:

— Je vais te donner ma recette de fèves au lard à une condition: c'est que tu ne la révèles à personne.

— Promis! dit-elle. Juste un instant. Je vais chercher un crayon et du papier.

— Pas besoin! dis-je. Ma recette est tellement simple que tu vas t'en souvenir sans aide-mémoire.

— Parfait! Je suis comme vous. Je n'aime pas les machins compliqués pour gastronomes.

— Enchantée. Nous allons bien nous entendre... Voici ma recette magique. Tu prends une boîte de fèves au lard Heinz. Tu en verses le contenu dans un poêlon. Tu mets le poêlon sur un feu de la cuisinière. Quand des petites bulles éclatent ici et là, ton plat est à point. Tu le sers et tout le monde s'en lèche les babines.

— C'est tout! dit Karen, surprise. Vous faites chauffer une boîte ordinaire de fèves au lard? Rien d'autre? Pas de mélasse? Pas d'épices? Pas de sauce spéciale?

— Oh!... Parfois j'ajoute un soupçon de ketchup... Mais ce n'est pas nécessaire.

Elle éclata de rire:

— C'est à peine croyable! Et moi, naïve, j'ai passé des heures à suivre les indications du livre de recettes: laisser tremper les fèves toute une nuit, mesurer les ingrédients, les mélanger selon un ordre précis, chauffer le tout, et le réchauffer. Pas étonnant que Lee ait qualifié mes fèves « d'abominables». Elles ressemblent de trop loin aux «régalantes» fèves en boîte. À propos, Lee voudrait aussi votre recette pour les épinards. Est-elle dans le même genre que celle des fèves?

— Bien sûr que non! Pas question de mettre du ketchup sur les épinards. Essayez plutôt du vinaigre.

— Grand merci... Avec vous, l'art de cuisiner devient facile.

— Sshhh! Voilà le coeur même du secret. N'allez jamais avouer à Lee que la préparation des repas est chose aisée. À moins, évidemment, que vous désiriez le voir vous remplacer de temps à autre à la cuisine. Je ne vous conseille pourtant pas pareil arrangement. Car, avec lui, le seul article au menu serait le *pissghetti.*

— Que dites-vous?

Je me corrigeai tout de suite et dis:

— Spaghetti... Les enfants l'appellent pissghetti

depuis si longtemps que j'en ai presque oublié le vrai nom. D'après les jeunes, c'est le seul plat que je réussisse.

Contrairement à ce que vous pouvez croire, je ne suis ni une cuisinière moche ni une cuisinière paresseuse. Je passe beaucoup de temps et je mets beaucoup de soin à choisir les meilleurs légumes en boîte, les meilleures viandes congelées, les meilleurs soupers prêts à servir. Parfois je rehausse les saveurs par une touche gastronomique personnelle: ainsi il m'arrive d'ajouter un oeuf à une préparation instantanée pour gâteaux, de saupoudrer de fromage supplémentaire la soupe aux oignons gratinée, d'arroser d'un verre de vin un civet de lapin... Oui! je sais! Le civet goûte encore meilleur si l'on met le vin d'abord. (Non sur le civet, mais dans un verre, à prendre en apéritif avant le repas.)

Je pris conscience de mes déficiences culinaires lorsque, jeune mariée, je fis cuire mon premier rosbif. Je ne sus pas comment résoudre le problème qui est la bête noire de tout chef: la sauce!

Ma mère m'avait pourtant dit:

— Rien de plus facile que de réussir une sauce. Tu enlèves le rosbif de la lèchefrite, tu écumes la graisse, tu ajoutes un peu d'eau chaude et un peu de farine. Tu brasses bien. Et voilà une sauce brune tout à fait délicieuse.

Tout ce que j'obtiens, moi, c'est une espèce de liquide féculent qui n'a de nom dans aucune langue. Au long de mes vingt-cinq années de ménage, toutes mes tentatives ont échoué. J'aurais dû m'apercevoir dès le début que les termes mêmes de la recette maternelle me rendaient la réussite impossible. Ainsi il faut, paraît-il, «enlever le rosbif de la lèchefrite». Comment? Je n'y parviens jamais. Ou bien le morceau de viande est collé et semble s'agripper à la casserole. Ou bien, il flotte dans la sauce. Dans ce cas, quand je transfers le rosbif de la casserole au plat de service, des gouttelettes de gras tombent sur le plancher.

Seconde étape: «Tu écumes la graisse». Avec une cuiller? Avec une seringue? J'ai essayé sans réussir. Il n'y a qu'une méthode efficace: tu mets la casserole complète dans le réfrigérateur et tu l'y laisses jusqu'à ce que le gras soit suffisamment saisi pour être enlevé sans difficulté. Bien sûr, ce processus prolonge le temps des apéritifs. Mais il n'y a pas là d'inconvénient. Si tes invités boivent assez de martinis, ils ne s'apercevront pas que le rosbif est froid.

Une fois le gras enlevé, il faudra le faire réchauffer parce qu'il faut en remettre une partie dans la sauce. Ceci fait, tu ajoutes un peu d'eau chaude et de farine, et tu brasses jusqu'à ce que la sauce soit bien fluide, ce qui se produit quand tu as dissous, un par un, les 9,674 grumeaux qui se sont formés parce que tu n'as pas brassé assez vite.

Une fois les grumeaux dissous, tu réchauffes la sauce et tu pousses le tout sur le foyer arrière. Tu as ainsi l'espace voulu pour découper le rosbif. Puis, juste avant de servir les invités, tu ouvres une boîte de sauce de boeuf, que tu fais chauffer en vitesse et tu la sers, avec la viande.

Tu me demandes:

— Que faire avec le truc qui se trouve sur le foyer arrière?

Je te réponds:

— Mets-le dans ton réfrigérateur. On ne sait jamais. Cela peut servir pour boucher les fissures dans les chambres d'enfants.

Pour des raisons qui me demeurent inconnues, presque toutes les cuisinières détestent la recette de sauce béchamel. Elle est toute simple pourtant. Il n'y a ni rosbif à enlever d'une casserole, ni graisse à ôter, ni gouttelettes qui tombent sur le plancher. Tu fais fondre un peu de beurre, tu le mélanges avec de la farine, tu ajoutes un peu de lait. Et tu obtiens un produit qui, lui aussi, est plein de grumeaux. L'avantage, c'est que la sauce blanche s'accorde mieux avec les couleurs des chambres d'enfants.

Entendu! Je ne réussis ni mes sauces brunes, ni mes sauces blanches. Plus catastrophiques encore sont mes échecs dans la préparation d'une gélatine. Et pourtant je suis toujours à la lettre les directives des meilleurs livres.

« Dissolvez la poudre dans de l'eau chaude. Ajoutez de l'eau froide, brassez jusqu'à un commencement d'épaississement, mettez au réfrigérateur». Rien de compliqué. Même une novice en art culinaire ne peut pas parvenir, semble-t-il, à gâcher cela. Pourtant!... Si l'eau n'est pas assez chaude, la poudre ne se dissout pas. Si l'eau n'est pas assez froide, la gélatine ne prend pas. Si on ajoute trop d'eau, on obtient, non de la gélatine, mais une boisson rafraîchissante. J'ai finalement trouvé une manière de faire prendre la gélatine. Il suffit de dissoudre la poudre dans de l'eau bouillante, puis de mettre ce mélange dans des cubes à glace, et enfin de placer le tout au réfrigérateur. La gélatine prend à la perfection. Hélas! elle est immangeable parce qu'on a l'impression d'avoir dans la bouche des éclats de vitre.

Plus que de suivre les prescriptions d'une recette, je déteste organiser un menu. Il existe, et je le sais fort bien, une foule de livres sur le sujet. Plusieurs magazines suggèrent également de délicieux plats pour telles ou telles occasions. Cependant, il me manque toujours certains des ingrédients nécessaires tels que « de l'arrowroot broyé» ... « des cosses de pois» ... « des graines de fenouil» ... « un gigot d'agneau du printemps» (et moi qui ai mon congélateur plein d'agneaux d'automne.) Pourquoi ces belles recettes ne mentionnent-elles jamais tant de bonnes choses que j'ai à portée de la main, comme, par exemple, « une demi-tasse de la soupe aux pois de mardi dernier», ou encore «le reste de la crème d'asperges du jeudi précédent», «la cuillerée à thé du ketchup qui reste dans une bouteille», «douze boîtes entamées de salade aux fruits» (il en faut plusieurs pour obtenir assez de cerises), «une pomme dont quelqu'un a pris une bouchée».

Je ne suis pas du tout intéressée à apprendre une nouvelle manière d'apprêter des hamburgers. J'attends d'avoir d'abord mis au point la mienne.

J'aimerais des suggestions culinaires à la fois excitantes, exotiques et bon marché. Plus que tout, j'apprécierais des menus préparés par quelqu'un d'autre.

Dimanche dernier, je voyais venir avec angoisse une autre semaine d'organisations de repas, quand je lus, dans le journal, la lettre d'une maîtresse de maison qui soutenait avoir trouvé la solution de ce problème. Selon elle, il suffit de demander aux membres de la famille de rédiger, à tour de rôle, les menus de chaque jour. Sans aucune confiance dans le système, mais en désespoir de cause, je décidai de l'essayer.

En conséquence, lundi matin, je demandai à mon mari ce qu'il aimerait avoir pour le souper. Il me répondit, comme toujours depuis vingt-cinq ans:

— N'importe quoi!... Peu m'importe!

Et le soir je lui servis «N'importe quoi»!

Le lendemain, je demandai à Tim et à Patrick quel était leur choix.

— On peut vraiment proposer ce qu'on veut? Pas de limites? Pas de restrictions?...

Un peu casse-cou, je répondis:

— Pas de restrictions! Choisissez ce que vous voulez et je vous le préparerai.

— De la crème glacée en «sundae», dit Tim.

— Avec un gâteau au chocolat et aux noix, ajouta Patrick.

Je leur imposai un compromis. Ils auraient leur crème glacée et leur gâteau mais seulement après avoir mangé leur portion de patée de viande.

Mercredi, ce fut le tour des filles. Après de longues hésitations, Ann proposa une «Bistecca alla pizzaiola», Peggy un «Coq au vin rouge» et Mary une «Quiche de Georges de Fessenheim». Quel snobisme! Voilà ce que gagnent mes filles à folâtrer autour des grands restaurants et à en lire les menus.

J'avouai mon admiration pour le caractère exotique de ces suggestions. Mais je dis à mes filles:

— Tous mes regrets! Je m'en tiendrai à ma règle d'or personnelle en art culinaire: ne jamais essayer de préparer un plat dont je ne puis ni épeler ni prononcer le nom.

Et, ce soir-là, nous eûmes du pissghetti. Le jeudi, les plus vieux ne mirent pas plus de cinq secondes à me répondre:

— Les spécialités «Mc Donald's!»

Certains croient qu'on économise en allant chez «Mc Donald's». C'est peut-être vrai pour la famille américaine moyenne de 1.8 enfant. Ce n'est pas la même chanson pour une famille qui, à elle seule, peut constituer une équipe de football. Pour nous, en tout cas, il faut envisager de dépenser une petite fortune. Mais, zut!... L'argent, on ne l'emporte pas en terre! Donc en route vers le restaurant «Aux arcs dorés»!

À la gloire des jeunes qui prennent les commandes chez «Mc Donald's», je puis dire: rien ne les étonne. Celui qui me servit écrivit sans broncher: douze hamburgers, huit «Big Mac», quatre sandwichs au fromage, quatre frites, quatre cornets d'oignons à la française et douze verres de «milk shake». Quand j'eus fini, il me demanda, à moi qui était fin seule devant lui:

— C'est tout?

Je faillis lui répondre:

— Pour le moment! Si j'ai encore faim, je reviendrai.

Le vendredi soir, nous eûmes des nouilles Budapest parce que c'était la recette hebdomadaire de Madame Cordon Bleu. Mes enfants savent ce qui les attend le vendredi soir. Au retour de l'école, ils s'arrêtent au magasin du coin et lisent la recette proposée cette semaine-là par Madame Cordon Bleu sur le paquet de pâtes alimentaires.

Le samedi, j'avais invité Lee et Karen à venir souper. J'appelai Karen et je lui offris de choisir le menu.

— Que diriez-vous, demanda-t-elle, de votre délicieux poulet au four? Lee l'aime bien et moi aussi. En chemin, ce soir, nous pourrons prendre ce qu'il vous faut chez le Colonel Saunders et vous l'apporter.

— C'est une des qualités que j'aime chez Karen: elle apprend vite.

18

Allô, Pomponnette!

Avant de s'épouser, mon fils aîné et sa fiancée suivirent des cours de préparation au mariage. Leur impression? Tout y fut mis en oeuvre pour les dissuader de se marier.

— Si on s'aime encore après un tel cours, me dit mon fils Lee, on s'aimera pour la vie. On dirait que ces gens-là ne laissent rien de côté de ce qui pourrait nous séparer.

Mon fils se trompait. Le cours passe sous silence ce qui est le plus susceptible de provoquer des chicanes. On y traite de sujets aussi peu importants que les rapports sexuels entre époux, l'équilibre du budget, le nombre des enfants. Et on ne fait même pas mention d'un problème aussi crucial que: «Aurons-nous un chien?» Je l'affirme sans crainte de me tromper, si les fiancés avaient le droit de s'épouser seulement après s'être entendus sur la question: «Aurons-nous ou pas d'animaux domestiques?», il n'y aurait plus de divorces.

Vous l'avez déjà deviné, je suis contre les animaux domestiques. Non que je sois allergique aux animaux. J'aimerais bien l'être, car l'allergie est admise comme une bonne excuse. L'aversion ne l'est pas. Enfants et adultes la considèrent comme un caprice inexcusable.

Avant notre mariage, mon mari et moi n'avons jamais discuté de problèmes aussi insignifiants que la fréquence de nos futurs rapports sexuels ou l'importance numérique de notre progéniture. Mais nous nous sommes attardés sur la question des animaux. La conclusion? Pour préserver *mon* équilibre mental, il n'y aurait, comme objets de nos tendresses communes, que des êtres qui pourraient nous accompagner au Ciel, à savoir des enfants.

Nous avions oublié d'envisager certains faits, incontestables: alors que les parents préfèrent entourer d'amour leurs enfants, les enfants, eux, préfèrent prodiguer leur affection à des animaux domestiques. À notre cinquième anniversaire de mariage, nous avions déjà quatre garçons. Chacun d'eux, dans la mesure de ses moyens, cherchait à s'approcher et à caresser toutes les créatures à quatre pattes du voisinage. Aussi, mon traître de mari me dit-il un jour de Noël:

— Il est évident que les petits garçons ont besoin d'un chien. Et voilà! Je leur en ai acheté un!

Ce n'était pas un chien en chair et en os. C'était un colley artificiel grandeur nature, qui ressemblait comme un frère jumeau au Lassie des séries télévisées. C'était un somptueux jouet, en vraie fourrure, avec de chauds yeux bruns, un nez aristocratique et un corps assez long pour qu'un bambin de quatre ans puisse le chevaucher. L'animal n'avait qu'un handicap: il terrifiait les plus jeunes bébés. Ceux-ci ne voulaient même pas y toucher.

Je dis alors à mon mari:

— La question est réglée. Si nos galopins ont peur d'un chien empaillé qui n'a même pas de dents, comment réagiraient-ils devant un vrai chien qui mordrait? Donc plus jamais d'animaux domestiques!

Et il en fut ainsi... jusqu'à ce que nos garçons commencent à aller à l'école.

Tous les parents d'aujourd'hui le savent, les classes modernes ne s'embarrassent plus de pupitres, d'étagères pour livres ni de tableau noir. On y a renoncé, non que la mode soit passée, mais parce qu'il n'y a plus de place pour les mettre. En effet, les maisonnettes pour hamsters, les rondelles pour lapins, les cages pour oiseaux et l'aquarium, occupent presque tout le local. Au lieu d'apprendre à lire, à écrire et à compter, les écoliers de l'ère électronique sont renseignés sur l'alimentation et la reproduction des animaux. Je n'entretiendrais pas trop d'objections contre le système, si le professeur n'organisait à chaque congé un tirage au sort. Gagnants la plupart du temps, mes bambins amènent à la maison l'un ou l'autre des animaux domestiques de leur classe.

Un certain mois de janvier, je faillis être écrabouillée par une meute de jeunes de quatrième année, littéralement en furie. Pendant les vacances de Noël, j'avais installé des trappes à souris dans mon sous-sol. Un hamster s'y prit et en mourut. Mes protestations d'innocence ne m'empêchèrent pas d'être condamnée pour assassinat. J'aurais été plus prudente si j'avais su que le dit hamster logeait dans mon sous-sol. Mes jeunes s'étaient bien gardés de me le dire, et pour cause.

Renseignée sur la présence dans ma cave d'un rongeur (on ne me convaincra jamais qu'un hamster fût autre chose qu'une souris déguisée), donc, mise au fait de la situation, je me serais enfuie pour toutes les vacances, emportant dans mon sac à main la clé des trésors du Père Noël.

L'automne suivant, nos garçons se mirent à supplier leur père de leur acheter un petit animal. Pressé de toute part, le cher papa se dégagea comme tous les pères de famille depuis que le monde est monde. Il dit aux enfants: «Allez en parler à votre mère. J'approuverai ce qu'elle décidera».

Les gamins se mirent à me harceler. Un soir en particulier, ils se firent plus insistants. Quand ils se couchèrent, ils étaient convaincus que leur père adoré aurait exaucé tous leurs désirs si leur mesquine maman ne s'était dressée, obstinée dans son refus.

— Pourquoi m'as-tu fait ça? dis-je à mon mari.

Il me répondit, avec un sourire désarmant.

— Un jour ou l'autre nous aurons à céder. Tous les garçons ont besoin d'un animal pour s'amuser. On peut sûrement en trouver un qui soit assez domestiqué pour que tu l'acceptes.

— C'est déjà tout trouvé! répondis-je. Nos enfants suffisent. D'ailleurs, c'est moi qui les ai domestiqués en les entraînant à être propres. Recommencer avec des créatures à quatre pattes? Merci bien!... Ne me ressors pas le vieux refrain: «Les enfants et moi en prendront soin». Quelle foutaise! Tu sais bien que j'aurais à m'occuper du chien, si jamais il en entrait un dans la maison, ce qui ne sera pas.

Patient, mon mari reprit:

— Pas nécessairement un chien! Il existe d'autre animaux domestiques.

— Je le sais. Écoute-moi bien!... Si tu songes à accepter l'offre d'un hamster gratuit, offre faite par la ravissante maîtresse des jeunes de quatrième année, maîtresse qui te dévore des yeux aux réunions de parents-maîtres, tu fais mieux de réviser tes plans. Je laisserais cette très jolie demoiselle établir ses quartiers ici et je m'en irais, avant que d'y laisser entrer un hamster.

— Que dirais-tu d'un joli chaton? reprit mon époux.

Je lui rappelai un fait fulgurant d'évidence:

— Les chatons, même les plus gentils, ont une dégoûtante habitude.

— Laquelle? demanda-t-il.

— Celle de devenir des chats! Or les chats égratignent les enfants et les meubles, se glissent sur vous au moment le plus inattendu, laissent de leurs poils sur les sofas... Renonce aux chats! D'ailleurs, il me semble que, même avant notre mariage, nous avions convenu: «Pas d'animaux domestiques!».

— Je me souviens, dit-il. Mais tu sais à quel point les enfants y tiennent... Si on leur achetait un serin?

— Pas de serin non plus! repris-je.

— Qu'as-tu contre les serins?

— Ils gazouillent! répondis-je. Oui! ils pépient quand tu es au téléphone. Ils pépient quand tu essaies de faire un petit somme. Ils pépient quand tu écoutes un disque de Frank Sinatra. En fait, le seul temps où ils ne pépient pas, c'est quand tu les invites à montrer à un visiteur comme ils gazouillent bien.

— Puisque tu rêves de silence, reprit mon mari, que dirais-tu d'un poisson? Les poissons ne font pas de bruit. Et ils sont intéressants à regarder.

— Tu plaisantes! repris-je. Les poissons, ce sont surtout eux qui nous regardent. Et d'un regard fixe, impoli qui nous suit toute la journée. Leurs yeux ne clignent même pas. Moi, ça me paralyse de voir quelqu'un me regarder comme ça. Je ne puis plus rien faire.

— Alors, une tortue? chuchota-t-il, mais assez fort pour que je l'entende.

— Les tortues se cachent, dis-je. Quand nous étions enfants, ma soeur reçut une tortue en cadeau. La tortue disparut. Ma mère passa la première partie de l'été à la chercher et la deuxième à en respirer l'odeur nauséabonde, car la tortue était morte quelque part entre les murs de la salle à manger. S'il te plaît, pas de tortues! Pas d'animaux, point final! N'avions-nous pas convenu de n'accepter aucune créature qui ne pourrait pas nous suivre au Ciel?

— C'est toi qui as dit ça, pas moi, soupira-t-il.

— Qu'est-ce que j'ai dit? demandai-je.

(Je parle toujours trop!)

— Tu viens juste de suggérer qu'on procure aux enfants un jouet vivant qui puisse nous suivre et les suivre au ciel. En termes clairs, cela ne veut-il pas dire un petit frère ou une petite soeur?

Procédant à une retraite stratégique, je dis:

— Après tout, peut-être pourrions-nous acheter un petit chien.

Ma proposition fut acceptée sans pourtant empêcher la réalisation du plan de mon mari.

L'été suivant, notre petite chienne Pomponnette était sur la véranda pour m'accueillir par des jappements joyeux, quand je revins de l'hôpital avec, dans les bras, notre nouveau bébé, Ann Cecilia.

Je continuai d'éprouver une aversion pour les animaux. Je fis une exception pour Pomponnette. J'avoue que c'était une créature bien sympathique. Setter irlandais de race, elle avait un comportement et des allures aristocratiques.

Hélas! Elle ne consentit jamais à mettre le pied dans notre maison. Je la comprenais. Elle était née dans un luxueux chenil, avec air climatisé et tout. Il était normal qu'elle refuse d'entrer chez nous. Par quoi fut-elle surtout repoussée? Était-ce par les parcs au milieu du vivoir couvert de jouets? (Seule la mère de deux bébés, âgés de moins de dix-huit mois, peut comprendre la nécessité de plus d'un parc). Eut-elle plutôt dédain des chaises hautes au milieu de la cuisine, tapissée de pablum? Je ne sais vraiment pas. Toujours est-il qu'après un coup d'oeil rapide sur nos pénates, Pomponnette décida de ne jamais s'y aventurer. Elle nous aimait, nous, mais elle détestait notre maison. (L'un de nos voisins émit l'hypothèse que notre logis était peut-être hanté. Ce n'est certainement pas une impossibilité. Quand j'entends les enfants, à tour de rôle, accuser « quelqu'un d'autre» d'avoir brisé les jouets, souillé de boue les tapis, claqué les portes, ouvert la télé un jour d'école, je me demande si notre maison n'abrite pas un fantôme.)

Pomponnette devint donc une chienne d'extérieur, vivant à l'année dans notre large cour arrière, y passant ses jours à creuser la terre et ses nuits à hurler. (Nos voisins appréciaient!) Notre cour se mit à ressembler à la surface de la lune telle que révélée par les photographies prises par les astronautes: un lugubre paysage de cratères... Son ascendance aristocratique n'empêchait pas Pomponnette d'être oublieuse. Elle ne se souvenait jamais de l'endroit où elle avait enterré ses os. Et comme les adolescents, elle ne remplissait jamais complètement les trous qu'elle faisait.

Les creusages ne nous ennuyaient pas trop. C'était les hurlements nocturnes que nous détestions parce qu'ils nous maintenaient dans une communication, déplaisante et presque constante, avec nos voisins. L'un ou l'autre d'entre eux, incapable de dormir, nous téléphonait aux petites heures du matin pour nous supplier de «faire entrer ce m... chien».

Alors que la plupart des propriétaires de chiens se lèvent la nuit pour les laisser sortir, nous, au contraire, nous nous levions pour faire entrer le nôtre, ou plutôt pour essayer de le faire entrer. Heureusement, nos inefficaces tentatives suffisaient d'ordinaire pour faire cesser les hurlements. Car Pomponnette ne hurlait pas parce qu'elle avait faim ni parce qu'elle était malheureuse. Non! Elle s'ennuyait tout simplement. Quand elle avait obligé deux ou trois de nos enfants à lui courir après en pleine nuit, elle s'apaisait et s'endormait.

Pomponnette aimait donc beaucoup ses ébats nocturnes. Mais ce qu'elle préférait par-dessus tout, c'était de plantureux réveillons.

Au début, nous nous sommes inquiétés. Pomponnette n'allait-elle pas mourir de faim? Elle dédaignait les restes de notre table. Elle restait même impassible devant les meilleures et les dispendieuses nourritures commerciales pour chiens. On ne tarda pas à découvrir la raison de cette attitude. Pomponnette aimait mieux manger « à l'extérieur». Nous avions des voisins riches dont la table ne se garnissait que de plats raffinés. Leurs déchets faisaient les délices de notre chienne aristocratique et gastronome.

Alors qu'elle ne pouvait pas retrouver un os enterré quelques minutes auparavant dans notre cour, il lui suffisait de quelques reniflements pour savoir que la bonne du voisin venait de sortir des déchets. Avant même que les restes d'un chateaubriand ait eu le temps de refroidir dans la poubelle de luxe, notre Pomponnette s'était attablée pour un somptueux banquet sous les étoiles.

Au cours de toute sa vie, Pomponnette daigna entrer seulement une fois chez nous. L'après-midi du 6 mai 1975, une terrible tornade détruisit de fond en comble notre vaste maison de trois étages. Quand sonna l'alarme, nous eûmes à peine le temps de nous réfugier au sous-sol. Il n'était pas question de nous occuper de Pomponnette et d'essayer de la faire entrer. Aussi bien, quand nous sommes sortis, heureusement sains et saufs, de notre refuge souterrain, pour trouver notre maison et les logis environnants rasés jusqu'au sol, nous avions bien peur de compter notre Pomponnette parmi les victimes du désastre.

Mais non! Notre Pomponnette allait et venait, ahurie et tremblante, mais vivante, parmi les débris de notre rez-de-chaussée, évidemment en quête de ses maîtres et maîtresses. Après nous avoir vus, elle repartit vers les espaces extérieurs, mais non plus pour creuser, hurler ou vagabonder. La violente tornade avait sans doute affecté ses facultés mentales. Bientôt, il nous fallut nous en débarrasser.

Je dois l'admettre, Pomponnette me manque. Elle manque aux enfants... Devinez qui la regrette le plus?... Les voisins!

Je n'arriverai jamais à comprendre les gens.

19

Le riche «intellectuel»

Alors qu'il remplissait un questionnaire, mon fils Dan me demanda:

— Eh, maman! Dans quelle classe sommes-nous?

— Tu le sais mieux que moi, répondis-je. Certains d'entre-vous sont à l'élémentaire, d'autres au secondaire.

— Allons! maman, sois sérieuse! Dans quelle classe sommes-nous? Supérieure? Moyenne? Inférieure?

— Tout dépend, répondis-je, de ceux qui font la classification. Ceux de nos voisins qui nous regardent de haut nous placent sûrement dans la classe inférieure. Ta grand-mère, elle, nous loge sans hésitation dans la classe supérieure. Les connaisseurs nous cataloguent probablement parmi les gens de classe moyenne.

— Qui sont ces connaisseurs? demanda Dan.

— Les connaisseurs? Mais ce sont les fonctionnaires de l'impôt sur le revenu, dis-je. Pourquoi demandes-tu tout ça?

— Je fais une demande pour obtenir une bourse d'études. J'aimerais entrer au collège l'an prochain.

— Alors, dis-je, rallie-toi à l'opinion de nos prétentieux voisins. Coche la case «classe inférieure». Je te conseille même de le souligner. Et au crayon encore. Si les gens que tu sollicites s'aperçoivent que tu peux te payer un stylo, ils vont te pousser jusque dans la classe «moyenne supérieure». Alors, adieu tout secours financier. Tu auras à te débrouiller seul.

Je sais trop à quels lamentables et décevants refus aboutissent la plupart des démarches de ce genre. Mais je n'eus pas le coeur de dire à Dan qu'il perdait probablement son temps.

Quand notre aîné demanda une aide financière pour s'inscrire à un collège, on lui dit qu'il pouvait attendre une réponse affirmative en toute confiance. N'y a-t-il pas, lui dit-on, plus de 8,000 bourses disponibles. C'est peut-être vrai. Mais ce qui l'est aussi — et l'on s'est bien gardé de lui en parler — c'est que 7,975 de ces bourses sont réservées à des athlètes. Les 25 autres vont aux étudiants à la fois premiers de classe et vraiment pauvres. Or, à l'école secondaire, les performances athlétiques de Lee s'étaient limitées à des tirailleries avec ses camarades, surtout les filles. Il pouvait difficilement aspirer à se présenter comme un grand sportif, promis à un remarquable avenir. Même s'il avait gagné le trophée Octopus, décerné par un jury de filles à l'écolier le plus populaire, ce triomphe ne lui avait pas donné les qualifications requises. Par ailleurs, ses besoins financiers réels ne lui servaient à rien parce qu'ils n'étaient pas accompagnés de succès académiques. Sur ses bulletins scolaires, on avait rarement vu la lettre A.

Au cours de ses études élémentaires et secondaires, mon second fils avait récolté tout un lot de A. Il ne put quand même pas se qualifier pour une bourse collégiale. C'est qu'il ne parvint pas à en prouver le besoin. Le jury ne voulut pas considérer comme valable sa participation, souvent active, à mon déficit budgétaire chronique. Les «sages» tinrent seulement compte d'un legs fait dix-huit ans auparavant par un grand-père, parrain généreux, à l'occasion du baptême de son petit-fils. Nous, le père et la mère, avions toujours ordonné à John de ne pas toucher à cet argent. Ce serait, lui disions-nous, une poire pour la soif quand viendrait le temps d'entrer au Collège. Poire plutôt peu juteuse, car, même avec les intérêts composés, le legs ne représentait qu'un faible montant. Il suffirait à peine à payer les livres et les faux-frais. Le service de l'Aide financière aux étudiants le qualifia néanmoins de « source de revenus» et trouva là un prétexte pour refuser la demande de John. (Celui-ci ne manqua pas de nous répéter: « Vous voyez! Je vous l'avais dit! Vous auriez dû me laisser employer cette somme à l'achat d'une motocyclette!»)

Étrange! Si John avait pris son petit héritage pour se procurer une motocyclette ou même s'il l'avait dilapidé en boisson, il aurait été éligible à une bourse!

Notre troisième fils semblait remplir toutes les conditions exigées: une foule nombreuse de A, aucun héritage baptismal, aucune source de revenus. Néanmoins, en dépit de ses bons points scolaires et de son statut d'indigent, toute bourse lui fut refusée. C'est qu'il était affligé d'un handicap pire qu'un legs. Il avait des parents!

— Qu'est-ce que mes parents ont à faire là-dedans? demanda le pauvre Michael, découragé, au fonctionnaire responsable.

Michael avait pratiquement campé tout l'été à « L'aide aux étudiants», comme le Lazare de l'Évangile, mendiant des miettes.

« Ce ne sont pas mes parents, dit-il, qui vont aller au collège. C'est moi.

— Entendu! répliqua le fonctionnaire. Mais, quand c'est possible, ce sont les parents qui doivent payer pour l'instruction de leurs enfants.»

Saisissant la balle au bond, Michael reprit, tout confiant:

— Vous venez de prononcer des paroles d'or, cher monsieur: « Quand c'est possible». Mes parents me donneraient volontiers les dix mille dollars dont j'aurai besoin pour me rendre jusqu'à ma graduation... s'ils le pouvaient. Mais justement, ils ne le peuvent pas. Leurs neuf autres enfants estiment leurs repas plus essentiels que mon éducation.

— Ce n'est pas ma faute si tu as tant de frères et soeurs, répondit le fonctionnaire, (énonçant là une vérité dont je puis hautement garantir l'exactitude). Nous avons pris en considération, non pas tant le salaire de ton père que le compte d'épargne de ta mère.

— Un compte d'épargne? avait demandé Michael, étonné. En êtes-vous sûr?... Moi, je n'en sais rien!... Comment avez-vous su ça?

— Nous avons de bonnes méthodes d'enquête, dit le fonctionnaire fièrement. En tout cas, du fait de ce capital familial, nous ne pouvons pas t'accorder de bourse.

— Comme je l'ai dit à votre fils, Mme Bloomingdale, répondit-il, l'existence et l'importance du capital qui se trouve à votre compte d'épargne indique que vous pouvez défrayer l'éducation de vos enfants.

Je mis tout mon coeur à plaider une cause que je devinais pourtant perdue d'avance.

— Écoutez-moi bien, dis-je. Je vous en prie. Ce compte d'épargne n'en est pas un, quand on examine les choses de près. C'est un fonds que j'ai constitué petit à petit, de peine et de misère, pour m'acheter une nouvelle auto «familiale». J'en ai besoin depuis des années, mais je n'ai pas les moyens d'acheter une voiture à tempéraments. Alors, je me contente depuis longtemps de ma bagnole, vieille de dix ans. Heureusement, l'épreuve achève. Encore trois cents dollars et je pourrai me procurer ma nouvelle «familiale».

— Je suis désolé, me dit le fonctionnaire. Mais le règlement, c'est le règlement.

J'eus une soudaine inspiration:

— Dois-je comprendre que les gens possesseurs de capitaux ne peuvent pas compter sur une aide financière?

— Tout à fait exact, dit-il.

— Comment se fait-il que le fils de mes voisins ait obtenu une bourse de deux mille dollars? Ses parents possèdent pourtant trois Cadillac, un bateau de plaisance et un chalet d'été au Cap Cod. N'est-ce pas là une infraction au règlement?

— Il ne s'agit pas là d'un capital en argent. D'ailleurs, qui sait? les voitures, le yacht et le chalet sont peut-être fortement hypothéqués.

— Oh! j'ignorais le truc, dis-je... Donnez-moi trente minutes!... En cette petite demi-heure, je pourrai faire assez d'achats pour épuiser mes réserves. Et si vous m'octroyez un peu plus de temps, à midi, je pourrai me déclarer en banqueroute.

Mes remarques ne firent pas rigoler le fonctionnaire. Mais pas du tout!

Résignée, je soupirai:

— Dites-moi. Comment avez-vous appris que j'avais un compte d'épargne?

— Par des indices, me dit orgueilleusement le fonctionnaire. On apprend à observer les choses et les gens. Dans le cas de votre fils, voici ce qui s'est passé. Dès la première entrevue, j'ai remarqué sa montre. Plus de sept cents étudiants ont des montres semblables. Puis, il y eut le stylo dont il se servit pour répondre aux deuxième et troisième questionnaires. Un stylo bien spécial. Mais ce qui me mit définitivement sur la bonne piste, ce fut le porte-documents qu'avait votre fils hier.

— Je ne comprends pas, dis-je. Quelle relation peuvent avoir, avec un compte d'épargne, une montre, un stylo et un porte-documents?

— C'était des primes données par la Caisse d'épargne, dit-il triomphant. J'ai reconnu les primes. J'ai moi-même un porte-documents qui vient de là. Ainsi voyez-vous, j'ai pu même deviner l'importance de vos trois derniers dépôts.

* * *

Ce soir-là, au souper, mon mari dit aux jeunes:

— J'ai l'impression que vous aurez à gagner vous-mêmes vos frais de collège. Nous vous aiderons dans la mesure du possible. Mais il semble que le ministère de l'Éducation ne vous donnera rien. Les bourses sont réservées: aux athlètes, à la minorité de ceux qui ont de très, très bons bulletins scolaires et aux jeunes de familles dans l'indigence.

Pat, onze ans, enfournait à ce moment-là son troisième hamburger. Entre deux bouchées, il dit:

— Ne vous inquiétez pas pour moi. Je vais obtenir une bourse automatiquement. Car je me prépare à être le «quarterback» étoile de notre équipe de football.

À quoi, Tim, notre neuvième, ajouta:

— Pas d'inquiétude à mon sujet non plus. Si Pat continue de manger comme un cochon, vous serez dans la rue quand je serai prêt à entrer au Collège. J'aurai une bourse en raison de mendicité.

Mary, qui a déjà terminé sa deuxième année à la Faculté des Beaux-Arts, voulut à son tour, placer son grain de sel:

— Je pense, dit-elle, que je pourrais me qualifier dans l'une ou l'autre des trois catégories de candidats éligibles.

— Comment cela? demanda Tim. Tu n'es pas une athlète, tu n'appartiens pas à la minorité des forts en thème et tu n'es pas dans le besoin.

— Voici, répondit-elle. Je viens de m'inscrire au cours d'escrime. C'est un sport reconnu officiellement. De plus, ça me place dans un groupe minoritaire. Je suis certaine, en effet, qu'il n'y a pas beaucoup de filles qui font de l'escrime.

— Et l'aspect «besoin»? reprit son frère.

— Rien de plus simple, dit-elle. Je sors avec trois gars qui ont déjà gagné le trophée Octopus... Dieu sait si j'ai *besoin* d'être experte en escrime!

* * *

Heureuse surprise! Dan obtint une bourse. Non à cause de prouesses athlétiques, ni à cause de son statut social, ni à cause de sa pauvreté. Participant à un concours scolaire national, il se classa parmi les jeunes que les examinateurs appellent «intellectuels».

C'est à peine croyable. Une bourse à un «intellectuel». Où allons-nous?

20

En route pour le collège!

Quand je partis pour le collège, il y a de cela une génération, je pris une valise de cabine pour mon linge et un sac pour de menus objets tels que réveil, radio, raquette de tennis. Je me souviens de mon père me taquinant parce que «j'emportais tout ce bagage à l'école». Je le priai de remarquer qu'il s'agissait de choses «absolument nécessaires». J'exagérais un peu, car, dans mes bagages, il y avait aussi une machine à écrire, un deuxième manteau et un ours en peluche auquel je n'étais pas particulièrement attachée. Mais il était de rigueur, pour une étudiante, à cette époque, d'avoir un animal-fétiche.

Une génération plus tard, quand mon fils John partit pour le collège, bien des choses avaient changé. John se servit d'un sac pour son linge (sa garde-robe entière consistait en deux pantalons, quelques chemises-T, et une douzaine de bandes d'étoffe pour absorber la sueur). Mais il lui fallut louer une remorque pour ses «menus objets»: un réfrigérateur, un fauteuil de «paresseux», un réchaud, une lampe-soleil, un appareil de télévision, un système de stéréo, une machine à écrire, une bicyclette à dix vitesses, et des boîtes et des boîtes de disques et de livres. Parmi les livres, il y avait des manuels scolaires dispendieux que notre ingénieux collégien s'était procuré à prix d'occasion, pendant les grandes vacances d'été.

Je repris la phrase que mon père avait employée vingt-cinq ans auparavant, mais en y mettant moins d'humour:

— Tu ne peux pas apporter tout ça à l'école!

À ma grande surprise, John acquiesça:

— Tu as raison! Jamais je ne pourrais faire entrer tout ça dans une seule chambre. Il va falloir que je sacrifie certaines choses.

Ce sont les manuels scolaires qui furent choisis comme victimes expiatoires.

En parents consciencieux, nous avons accompagné John à l'Université d'État à Lincoln, Nebraska, où il allait occuper une chambre au pavillon Abel Hall. Il existe une excellente filiale de cette Université dans la ville où nous résidons, Omaha. John ne voulut même pas considérer la possibilité de s'y inscrire. Il lui aurait fallu rester encore quatre années à la maison!

John aurait préféré s'en aller seul. («Vous ne m'avez pas conduit à la maternelle. Pourquoi me conduire au collège?») Mais à titre *d'ancienne,* je voulais me replonger dans l'atmosphère d'un collège.

J'eus une première perception des changements survenus depuis «mon temps», quand mon mari et moi avons pris l'ascenseur dans le pavillon qu'allait occuper John. À mon collège, le «Duchesne», il y avait toujours dans l'ascenseur un relent d'encens venu de la chapelle tout proche, à quoi se mêlait, en fin de semaine, le parfum de nos sorties.

Dans l'ascenseur dont John allait désormais se servir, il y avait un mélange d'odeurs pas du tout parfumées, venant d'aliments de basse qualité, de vieux mégots et de chaussettes sales. Je n'aurais pas dû m'en surprendre... Oh! les garçons!... Je dirai seulement que le contraste entre autrefois et aujourd'hui m'a frappé en plein nez.

Nous avons abouti au treizième étage. (Nous avons trouvé plutôt comique que John habite l'un des seuls édifices au monde qui avoue un treizième étage.)

À peine sortie de l'ascenseur, je dis:

— Un moment!... Il y a quelque chose qui ne va pas!

— Quoi? demanda John tout en continuant de jongler avec ses livres, ses albums de disques et sa lampe de chevet.

— Nous ne sommes pas dans le bon pavillon, dis-je, étonnée qu'il ne voit pas l'évidence.

— Il n'y a pas d'erreur, maman, dit-il. Nous sommes bien dans le pavillon Abel Hall. Et c'est ici que j'ai ma chambre. En fait foi un document officiel que j'ai dans ma poche et que je te montrerai tantôt.

— Mais regarde donc! dis-je, l'index pointé vers les personnes qui allaient et venaient dans le corridor. C'est un dortoir de filles.

John éclata de rire:

— Abel Hall est un pavillon «mixte», si l'on peut dire. Les filles habitent les étages pairs et les garçons les étages impairs.

— Comment se fait-il, demandai-je, qu'il y ait des filles sur ton étage impair?

— Voici! Ce treizième est réservé aux retardataires, les gars et les filles qui se sont enregistrés après la date-limite.

— Est-ce que je comprends bien? Tu vas vivre avec des filles?

— Oui et non. Je vais avoir ma chambre et elles les leurs. Mais je loge au même étage qu'elles, comme, chez nous, je vivais dans la même maison que Mary, Peggy et Annie.

— Attention! John! dit son père. Ne te conduis pas avec ces filles comme avec tes soeurs. La police va t'arrêter pour «tortures inhumaines et cruelles.»

— Ne panique pas, maman, reprit John. Les filles sont à un bout de l'étage et les gars à l'autre bout.
— Et les filles ne viennent jamais dans vos parages?
— Jamais! dit John. Sauf aux heures de visite.

Je respirai d'aise jusqu'au moment où j'appris quelles étaient les heures de visite: de 6 heures du matin à 2 heures et trente de la nuit.

Je n'aurais pas dû m'inquiéter. Bientôt des rumeurs parvinrent jusqu'à nos oreilles: s'il était vrai que la chambre de John recevait la visite de jolies filles, il était également vrai que John se trouvait rarement dans sa chambre. Les rumeurs ne tardèrent pas à se confirmer. J'avais beau appeler John à n'importe quelle heure du jour ou de la nuit, il n'était jamais là. Parfois quelqu'un répondait: toujours quelqu'un de sexe opposé.

Aux vacances de Noël, je demandai à John des explications. Il m'en donna:
— Exact! Je ne suis pas souvent à ma chambre. C'est que l'étage est trop bruyant. Impossible d'y étudier ou d'y dormir!

Je n'osai pas lui demander où il dormait. Je n'eus pas besoin de lui demander où il étudiait. Ses bulletins indiquaient sans ambiguïté que notre John s'était assez peu préoccupé de cet aspect secondaire de la vie collégiale.

Son père et moi avons alors pensé qu'il vaudrait mieux pour lui de déménager. Nous lui avons donc loué, à Lincoln, un petit appartement où il logea avec un camarade dès le second semestre.

L'automne suivant, Michael s'inscrivit à l'Université du Nebraska à Lincoln. Je fus déçue qu'il choisisse Abel Hall pour résidence.

— Pourquoi ne pas loger avec ton frère John? lui demandai-je. Je n'ai pas ce qu'il faut pour meubler une nouvelle chambre.

— Du calme! maman, dit-il. Les choses ont changé depuis l'époque de John.

On aurait dit qu'il parlait des années qui séparent deux générations plutôt que deux simples semestres.

— Changé? demandai-je. En quoi?

— Tout d'abord, dit Mike, je ne veux pas apporter un lot de « menus objets» comme l'a fait John. Par contre, j'aurai besoin d'un plus grand nombre de valises. Au collège maintenant, finis les «jeans» et les chemises en T. Il me faudra quelques complets, des vestons sport, des pantalons, des mocassins, des souliers, une demi-douzaine de chemises, quelques cravates, des pyjamas (je ne savais pas qu'il était au courant de l'existence de pyjamas), une robe de chambre, des chaussettes, des sous-vêtements et deux smokings.

— Deux smokings? demandai-je, incrédule. (Pourquoi demander?)

— Tu ne voudrais tout de même pas que j'aille à une danse de printemps avec un smoking d'hiver!

À bien y penser, je préfère les ridicules guenilles de John. Au moins, elles restent dans les limites de mon budget.

— Alors, dis-je, pas nécessaire de louer une remorque pour tes «menus objets». Veux-tu que je garde quelques bonnes boîtes venues de l'épicerie?

— Pas besoin, maman, dit-il. Mes «menus objets», je vais les apporter dans mon bon vieux portefeuille.

— Que veux-tu dire? (Encore une question de trop!)... Alors, tu n'apporteras pas grand-chose.

— Non!... Juste ta carte de crédit. Avec ta carte, pas de préoccupations!... À moins que tu préfères me donner de l'argent comptant.

Ce bruit que vous entendez vient du ciel... C'est mon père pouffant de rire...

21
Lettres

Monsieur le Doyen,
Université de Nebraska,
Lincoln, Nebraska

Cher Monsieur le Doyen,

Merci pour votre lettre au sujet de mon fils, 486-30-1223, qui est inscrit à l'Université de Nebraska.

J'apprécie hautement l'intérêt que vous portez à mon garçon qui, après un séjour de cinq semestres à l'Université, n'a accumulé que 9 crédits. L'intérêt que, nous aussi, nous entretenons pour lui s'est transformé en stupéfaction quand j'ai compulsé les chèques encaissés par notre étudiant. Plusieurs devaient servir à payer des crédits (un total de 65 crédits!)

Au reçu de votre lettre et après vérification des chèques, j'ai demandé des explications à l'intéressé.

À la suite de 13 appels sans réponse à sa chambre, 7 inefficaces «Gardez la ligne. J'essaie de le joindre au *Centre étudiant*», 4 autres appels sans résultat au bar *Chez Bill,* nous avons enfin réussi à contacter le 486-30-1223. Voici sa version des faits.

À son premier semestre, il s'inscrivit pour 15 crédits, mais il laissa tomber les cours sur l'Économie, car ils étaient d'un niveau trop élevé (ils étaient également donnés à 8 heures du matin, mais je suis assurée de l'absence de toute relation entre ces deux détails!).

Pour les trois matières restantes, notre étudiant résolut de les réussir et d'obtenir de beaux A. Il se promit donc de mettre un dernier fini à des travaux importants pendant les vacances de Noël. Il me dit l'avoir fait. Comment alors ses professeurs n'ont-ils rien reçu? Le 1223 se pose la question. Il va chercher dans «ses affaires» dans l'espoir de retrouver ces compositions. «Mais il faut, me dit-il, que les professeurs ne soient pas trop pressés».

Au second semestre, il s'inscrivit pour 12 crédits. Puis, il laissa tomber deux cours de Sciences et les remplaça par deux cours d'Administration. Élève régulier à l'un et élève auditeur à l'autre, il se trompa à la fin de la session, se présenta au mauvais examen et n'obtint pas, de ce fait, les crédits désirés. Il y avait bien encore un cours Spécial. Là également, le 1223 joua de malchance: le professeur changea la date de l'examen final et oublia de l'en avertir.

Au troisième semestre, le 1223 devint amoureux. (D'après lui, le règlement qui oblige les étudiants à assister à un minimum de cours pour obtenir des crédits est un règlement complètement stupide.)

À son quatrième semestre, il s'inscrivit pour 15 crédits, en abandonna 6, en ajouta 3, passa de l'Anglais à la Psychologie, oublia d'en aviser le régistraire et perdit ainsi des crédits. En Chimie, il aura ses notes dès qu'il aura payé ses frais de laboratoire.

À son cinquième semestre, le 1223 changea d'option majeure et perdit 15 crédits par suite de ce transfert. Ce ne fut quand même pas un désastre complet, car l'équipe dont il fait partie gagna le tournoi intercollégial de ping-pong.

Au 6e semestre, actuellement en cours, le 1223 nous assure que tout va à merveille, que tout est « copacetic», comme il dit. Il est seulement ennuyé de ne pas pouvoir compter sur assez de crédits pour entrer à la Faculté de Droit, l'automne prochain. Mais, toujours d'après lui, les choses pourront peut-être s'arranger à la dernière minute.

Encore une fois, merci pour l'intérêt porté à mon fils.

Sincèrement,
Teresa Bloomingdale

* * *

M. le Gérant,
Carte de crédit « Master Charge»

Cher Monsieur, Re: mon compte de janvier

Je suis surprise d'y voir une facture de $473.22 pour une chambre et des dépenses de restaurant et de bar à l'hôtel « Village Hawaïen». Je ne suis jamais allé à Honolulu. Je n'y suis pas présentement. Je n'ai aucun espoir de pouvoir y aller un jour. De toute évidence, il y eut erreur quelque part. Veuillez donc soustraire de mon compte ce montant de $473.22.

Sincèrement,
Teresa Bloomingdale

* * *

M. le Gérant,
Carte de crédit « Master Charge»

Cher Monsieur, Re: Mon compte de février

Je suis surprise que vous n'ayez pas retranché de mon compte la somme de $473.22 (plus les intérêts) dont je vous ai dit en janvier ne pas être responsable.

Le pis, vous me débitez pour une dépense de $72.00 que j'aurais faite à Tokyo. Si jamais j'allais au

Japon, je n'irais pas me faire exploiter dans une maison de geishas. Mais bien avant de visiter l'Empire Nippon, je prendrais des vacances au «Village Hawaïen». Comme je ne suis pas sortie des États-Unis ces dernières années, je vous prierais de corriger vos comptes et d'y rayer ces pseudo-dépenses.

Bien vôtre,
Teresa Bloomingdale

* * *

M. le Gérant,
Carte de crédit «Master Charge»

Cher Monsieur,

Cela devient ridicule! $96.00 pour cinq bouteilles de whisky Johnny Walker achetées supposément au bar «Lotus bleu» à Singapour. Veuillez annuler ma carte de crédit immédiatement.

Je n'ai pas l'intention de payer ces comptes que je ne dois pas (Hawaï, Tokyo, Singapour et Compagnie!)

Je serais quand même intéressée à voir les preuves de ces dépenses, si elles existent.

Bien que BLOOMINGDALE soit un nom facile à lire, il y a pourtant quelqu'un à votre bureau qui s'est trompé.

Bien vôtre,
Teresa Bloomingdale

* * *

M. le Gérant,
Carte de crédit «Master Charge»

Cher Monsieur,

Merci pour les preuves jointes à mon compte d'avril.

Étant donné l'importance de la somme, je vous serais reconnaissante d'attendre au mois prochain pour la facture de $122 du Club Playboy de Pago Pago.

En toute humilité,
Teresa Bloomingdale

* * *

Mon cher Jim,

Comment vas-tu?

Et ce fameux «Marine Corps» où tu t'es engagé?

Ton père me charge de te faire part de ses inquiétudes à ton sujet.

C'est vraiment terrible, ces «conditions sordides et pitoyables» où tu es obligé de vivre depuis ton affectation au Pacifique-Sud. Que dire de ces «marécages infestés de moustiques», «de ces entraînements à la guerre de guérilla dans les jungles sauvages», «de ces longues et ennuyeuses heures aux postes de sentinelle».

Ta vie doit être absolument abominable.

Mais elle le deviendra encore davantage si tu ne me renvoies pas ma carte de crédit par retour du courrier. J'apprécierais aussi le paiement intégral des sommes correspondant aux reçus inclus.

En terminant, affaire de curiosité, aurais-tu la bonté de me dire ce que tu as acheté au magasin Tiffany de Tasmania? Un cadeau pour ta mère, sans doute?

Je t'aime.
Maman

* * *

Cher M. l'Avocat de la Couronne,

Re: à propos de votre lettre demandant l'adresse de notre fils, inscrit à l'Université de Nebraska à Lincoln, j'aurais quelques questions à vous poser:

1- Si je vous donne sa dernière adresse et s'il est encore là présentement, auriez-vous la bonté de lui demander pourquoi il ne répond pas à mes lettres?

2- Si je vous donne son adresse, pensez-vous pouvoir l'attraper chez lui?

3- Si je vous donne son adresse et s'il vit encore là, suis-je responsable de son loyer?

4- Si je vous donne son adresse et que ce soit une grande et plantureuse blonde qui vous réponde, je préférerais que vous ne m'en souffliez pas mot.

5- Quel est l'objet du mandat d'arrêt contre mon fils?

Bien vôtre,
Teresa Bloomingdale

* * *

Cher M. l'Avocat de la Couronne,

Un mandat d'arrêt pour un compte à découvert? Vous voulez rire! Alors, vous arrêtez les gens qui ont dépassé leur crédit? Seigneur du bon Dieu, que je suis heureuse de ne pas vivre sur le territoire soumis à votre juridiction.

J'ai fait ma petite enquête. Mon fils ne vit plus à l'adresse que j'ai.

Rassurez-vous, je vais finir par trouver où il demeure.

(Vous n'avez pas rencontré la plantureuse blonde dont je vous parlais? Je parierais qu'elle sait où est mon fils.)

Bien vôtre,
Teresa Bloomingdale

* * *

Cher M. l'Avocat de la Couronne,

J'ai joint mon fils. Il soutient qu'il n'était pas au courant de la situation. Il ignorait, dit-il, que ses chèques étaient considérés comme sans provision et rebondissaient un peu partout dans le comté de Lancaster.

Un simple appel téléphonique à sa banque a mis fin à toutes ces irrégularités.

Que s'était-il passé?

Voici.

Avant de partir pour le collège l'automne dernier, mon fils a déposé ses épargnes de l'été dans un compte courant à Omaha. Mais, à son arrivée à Lincoln, il trouva une banque qui offrait des avantages spéciaux aux étudiants. Il transféra alors ses fonds à Lincoln.

Puis, par inadvertance, il plaça le mauvais carnet de chèques dans son portefeuille. C'est ainsi que, pendant six mois, il tira des chèques sur la banque d'Omaha alors que son argent sommeillait, bien tranquille, dans une banque de Lincoln.

Il reconnaît avoir reçu des avis au sujet de ses soldes débiteurs. Mais ces avis venaient de la banque d'Omaha et, comme il n'avait plus de compte là, il n'ouvrit même pas ces lettres.

J'inclus mon chèque personnel pour payer les soldes débiteurs, les frais et les amendes. (Je vous serais reconnaissante d'attendre le premier du prochain mois pour encaisser ce chèque.)

Bien vôtre,
Teresa Bloomingdale

* * *

Cher M. le Contrôleur de l'énergie,

Re: votre récente suggestion selon laquelle le pays devrait fonctionner sur une base de quatre jours de travail par semaine pour sauver de l'énergie. J'aimerais vous offrir à ce sujet quelques commentaires personnels.

Vous avez perdu la tête!

Quand vous avez présenté votre projet, vous n'avez probablement pas pensé à une catégorie bien particulière de travailleurs: les professeurs. Pourquoi ne demanderaient-ils pas, eux aussi, la semaine de quatre jours? Résultat: nos enfants auraient un jour de plus pour gaspiller de l'énergie.

Avez-vous pris conscience de ce que cela représenterait?

Présentement, nos enfants se trouvent cinq jours à l'école où ils n'ont aucun contrôle sur la température et les lumières.

Avec votre système, le vendredi (ou le lundi) nos enfants seraient à la maison, lavant leurs cheveux à toutes les quatre-vingt-dix minutes (utilisant toute la réserve d'eau chaude à chaque shampoo), poussant le séchoir à sa limite de puissance, chauffant les fers à friser, haussant le thermostat à 82 degrés parce qu'ils auraient froid «avec tant de cheveux mouillés sur la tête».

Leurs petits frères et leurs jeunes soeurs demanderaient qu'on les conduise au cinéma, à la patinoire, au centre commercial, au «Royaume de la pizza», ou à la maison de l'un de leurs camarades.

Dans l'hypothèse où on les forcerait à rester à la maison, ils imiteraient leurs aînés et mangeraient presque sans intermittence. À cette fin, ils utiliseraient le grille-pain, le fourneau, l'ouvre-boîte, le mélangeur, la cafetière et le gril électrique. Et je n'ai pas encore mentionné les 1,746 fois où ils ouvriraient le réfrigérateur et le congélateur, les innombrables occasions où ils se serviraient de la lessiveuse et du séchoir à linge.

En conséquence, il est évident que lors de ce «cinquième jour», la consommation d'énergie par la nation serait en hausse plutôt qu'en baisse.

En fait, Monsieur le Contrôleur, si vous accordez à nos écoliers une fin de semaine de trois jours, vous allez réduire à zéro la source la plus précieuse d'énergie au pays: les mères de famille.

Bien vôtre,
Teresa Bloomingdale

* * *

Chers Monsieur et Madame Zobernacki,

Merci de votre invitation pour le mariage de votre fille.

Toutefois, avant toute autre chose, il serait peut-être bon de dissiper un possible malentendu.

En lisant le nom du futur marié, mon mari et moi avons été un peu surpris. C'était la première nouvelle que nous avions du mariage de notre fils. Notre étonnement était d'autant plus grand que nous n'avions jamais entendu mentionner le nom de votre fille.

À la lecture de l'invitation, notre fils se gratta la tête et dit: «Est-ce que son nom est Maggie? C'est comique! J'ai toujours pensé que c'était Maizie!... Oui, je crois me souvenir d'elle. Une jolie enfant! Elle disait vouloir se marier. Je l'ai encouragée: «Eh bien! marie-toi!» lui dis-je... Mais je ne voulais d'aucune façon lui conseiller de se marier *à moi*... Pas d'histoires! Je n'ai pas l'intention de quitter le célibat, du moins pour le moment.»

Veuillez présenter à Maggie (Maizie?) nos félicitations... pour l'avoir échappé belle!

Bien vôtre,
Teresa Bloomingdale

* * *

22
Un instant, s'il vous plaît!

En 1975, quand notre maison fut détruite par une tornade, je pleurai.

Je ne pleurai pas sur la maison elle-même. C'était une bâtisse centenaire depuis longtemps tombée en vétusté. (Il lui manquait des bardeaux, dans les deux sens de l'expression.) La toiture pourrissait sur place, les plafonds songeaient sérieusement à se laisser tomber, les salles de bains réclamaient à grands cris des réparations essentielles. (Mais où trouver, par exemple, une chaîne pour la chasse d'eau des cabinets? Il ne s'en fait plus.)

De plus, la maison s'était transformée, au long des ans, en refuge de créatures, venues non pas d'espaces interplanétaires et lumineux, mais d'espaces sublunaires et ténébreux. Des punaises se baladaient dans notre sous-sol. Des souris campaient dans nos chambres. Notre cuisine avait été choisie par toutes les fourmis des environs comme l'endroit idéal pour pique-niquer.

Nous l'aurions abandonnée depuis longtemps, cette fichue maison, n'eût été l'obligation d'en trouver une nouvelle. Surgissait alors une pensée troublante: «Pour la fête d'inauguration du nouveau logis, comment réussirions-nous à mettre de l'ordre dans les chambres de nos adolescents?» Quand ma mère apprit que la tornade avait littéralement happé tout notre troisième étage, domaine de nos citoyens de *l'âge ingrat,* elle soupira: «Je pense que c'était l'unique solution. Et je soupçonne Teresa d'avoir machiné toute cette histoire.»

Non! je n'ai pas pleuré sur la maison, mais bien sur nos téléphones disparus, envolés.

C'était de si beaux téléphones! Noirs comme l'ébène, ils sonnaient de façon claire, joyeuse, sans ambiguïté. Leurs roulettes étaient faciles à lire et à tourner. Surtout, ils ne se promenaient pas. Ils restaient fixés là où on les avait posés. Quand il sonnait, on n'avait pas à suivre les sinuosités d'une corde de vingt pieds avant d'atteindre l'appareil.

Une fois notre nouvelle maison achetée, il me faudrait choisir les téléphones. Toutes les personnes qui ont passé par là savent à quel point l'expérience peut être traumatisante. Il faut consulter l'expert de la compagnie et, si possible, un décorateur patenté, sur la couleur et la forme des appareils. Voulant éviter tous ces ennuis, je cherchai une maison déjà pourvue de téléphones. À cause de ce préjugé, quand les agents d'immeubles me faisaient visiter des maisons sans téléphones, je plaçais toujours contre elles un impitoyable veto. Un certain après-midi, une dame-agent me conduisit dans une maison fort jolie et qui semblait convenir parfaitement à une famille nombreuse. Comme je ne manifestais aucun enthousiasme, la dame s'écria:

— Ne me dites pas que vous n'aimez pas cette maison. Elle répond en tous points à vos besoins.

— J'aime cette maison, répondis-je. Mais c'est toujours la même histoire: je ne puis me faire une raison devant le fait qu'il n'y a pas de téléphones.

— Entendu! il n'y a pas de téléphones, dit-elle, contrôlant son exaspération. Mais c'est la coutume. Partout et toujours, quand l'occupant quitte un logis, tous les téléphones sont enlevés.

— Je le sais, dis-je. Mais avouez que c'est une coutume stupide. Quelqu'un a dépensé des heures à choisir la couleur, la forme et l'emplacement des appareils dans cette maison-ci. Et moi j'aurais à tout recommencer, à partir de zéro, parce que la compagnie de téléphone, toujours super-efficiente, n'a laissé aucun bout de fil, aucune marque sur les murs qui puisse m'aider de quelque façon dans mes choix.

— Ne vous inquiétez pas, chère madame, dit l'agente. La compagnie Bell mettra à votre disposition des spécialistes pour vous conseiller en la matière.

Effectivement, le jour même du déménagement dans notre nouvelle maison, apparut un représentant de la compagnie avec un lot de livres et de brochures destinés à m'éclairer, mais qui ne parvinrent qu'à me jeter dans une plus grande confusion. Qu'allais-je choisir? La roulette traditionnelle? Des boutons à presser? Un Athéna, un Diplomate, un Contempra, un Rendez-vous, un Imagination, un Script, un Conventionnel? À mettre sur un bureau, à fixer au mur, à glisser dans une boîte? Et enfin, choisir entre une dizaine de couleurs.

J'aurais aimé une cabine extérieure avec téléphone payant, dressée dans notre patio. Mon mari s'y opposa. À son avis, il s'agissait d'un gadget publicitaire. « Et puis, dit-il, il faudra un truc pour que les enfants n'aient pas à payer.» «Peu importe, dis-je, au moins, ils auront à aller dehors pour téléphoner.»

Je finis par choisir le Contempra parce qu'il était en aubaine ce mois-là. (N.B. Demandez toujours la signification de *en aubaine.* Dans mon cas, cela équivalut à un déboursé supplémentaire.) Quant à la couleur, je n'eus pas à choisir car les seuls appareils disponibles dans la catégorie en aubaine étaient tous de couleur ivoire. (N.B. Si vous avez des enfants, ne choisissez pas des appareils de couleur pâle. Dans le temps de le dire, ils deviendront multicolores: rayés de bleu par les stylos, tachés de brun par le beurre d'arachides, rehaussés de rouge par la confiture aux framboises, soulignés de jaune par la moutarde, ou simplement rendus noirs par la poussière et la boue.)

Le spécialiste de la compagnie connaissait également bien son affaire quand à l'emplacement des appareils. Durant toute une matinée, il suivit les enfants de haut en bas de la maison. Sa conclusion: placer tous les appareils dans les salles de bains. Je m'y opposai. J'acceptai toutefois d'installer plus d'appareils qu'il n'était prévu. (Le même homme, me sembla-t-il, pensa que nous aurions dû avoir moins d'enfants qu'on ne le prévoyait, mais il était trop poli pour le dire.)

Après avoir consulté de nombreuses notes, ce cher spécialiste me conseilla un téléphone dans le vivoir avec deux prises additionnelles, l'une dans la cuisine et l'autre, au troisième étage, dans la chambre à coucher principale. Il me suggéra également une ligne supplémentaire pour les jeunes, dans la cuisine, avec deux prises additionnelles, l'une dans le hall du second étage et l'autre au sous-sol, dans la salle de jeu.

J'acceptai toutes ces suggestions, sauf pour le vivoir. Je proposai le hall d'entrée et j'expliquai:

— Vous connaissez mal les familles nombreuses, dis-je. Tout le monde passe par la porte arrière: les enfants, les adultes et même les fournisseurs. En conséquence, le hall d'entrée principal est toujours vide et tranquille. C'est le lieu idéal pour une conversation privée.

Le monsieur me regarda, perplexe. Puis il accepta le changement.

Je n'avais jamais vécu dans une maison à deux niveaux et j'ignorais que l'entrée principale y fût facilement accessible. Il n'y avait pas un escalier raide à monter comme dans notre vieille maison, ni d'allée latérale conduisant à la porte arrière. On accédait de plain-pied à un porche spacieux. Tout le monde se mit à entrer en avant: les jeunes, les visiteurs, les fournisseurs, les releveurs de compteurs, mon mari, moi-même, et jusqu'à ma mère qui, jamais jusque-là, n'avait utilisé une entrée principale.

Avec toutes ces allées et venues, notre hall d'entrée devint un vestiaire, un dépôt de livres, un lieu de conversations, et, les jours de pluie, grâce à l'absence de tapis sur la tuile, une patinoire pour patins à roulettes. Qui aurait pu parler au téléphone dans un endroit aussi passant? Personne! Tout le monde utilisa les deux téléphones de la cuisine. Résultat? Chaque fois que j'avais à cuisiner, je devais enjamber deux adolescents parlant à des filles différentes sur des lignes différentes.

Après environ un mois de trébuchements sur de longues jambes, je perdis patience et je réservai les téléphones de la cuisine à mon usage exclusif. Le lendemain, j'essayai d'appeler sur l'une des lignes. Elle était occupée. Quelqu'un utilisait la prise de ma chambre. J'en profitai pour rappeler à *tous* les enfants qu'ils avaient leur propre ligne et qu'ils devaient s'y limiter.

Ce soir-là même, comme je prenais mon bain, le téléphone de ma chambre sonna, sonna, et sonna. Je savais mon mari au sous-sol. Je criai donc aux enfants:

— Allons! Prenez l'appel!

L'un d'eux répondit criant lui aussi:

— Tu nous as défendu de parler sur ta ligne!

À la première occasion, je clarifiai la situation:

— Je vous ai interdit d'utiliser cette ligne pour vos appels. Mais je vous permets de répondre quand l'appareil sonne, et cela d'autant plus volontiers qu'à l'occasion, vous me rendrez ainsi service.

Le jour suivant, j'essayai encore d'appeler de la cuisine. Ligne occupée! J'allai vérifier dans le hall d'entrée. Personne. Je montai à ma chambre et je trouvai Peggy bien installée sur mon lit, en train de bavarder.

Sur un ton de réprimande, je lui dis:
— Je pensais t'avoir interdit de te servir de « ma» ligne.

— Mais tu nous a demandé de répondre quand ça sonnerait. Tout à l'heure, le timbre a retenti. J'ai pris l'écouteur. C'était pour moi.
— Eh bien! dis à tes amies de t'appeler sur la ligne des jeunes.
— Mais ce n'était pas une amie, rétorqua Peg. C'était Annie. Elle était en bas. Elle voulait me demander un renseignement. Alors elle a appelé. C'est tout simple!

La circulation téléphonique se compliqua encore quand notre aîné obtint un emploi qui exigeait un usage fréquent du téléphone. Il fallut sans tarder trouver une solution. Notre Lee aurait un téléphone personnel dans sa chambre avec un numéro particulier. Et il paierait les notes. Donc, pas de problème!

C'était rêver en couleurs. Un problème surgit dès le premier jour. Qui répondrait aux appels les jours de semaine? Pas Lee! Sauf les fins de semaine, il se trouvait ni dans sa chambre ni même dans la maison. Il parcourait les routes en quête de clients. Qui répondrait? Nulle autre que la bonne vieille maman. D'où le problème!

Je n'aurais pas trop regimbé si n'était survenue une nouvelle complication. Par une mystérieuse erreur électronique, les appels à la « American Family Insurance Company» étaient souvent acheminés vers la ligne de Lee. Or, c'était une compagnie en compétition avec celle qui l'employait. Volontiers, pour aider mon fils, je courais à travers la maison et je montais un escalier. Mais j'étais furieuse quand, au bout de la ligne, il y avait un client de l'organisation concurrente. J'alertai le service des plaintes. Chaque jour. Et, chaque jour, rien, aucune correction de la situation! À mon grand désespoir et à celui des clients de l'A.F.I.C.!

Quand Lee fut muté au South Dakota, il abandonna sa ligne personnelle chez nous. Quel soulagement! Pas pour longtemps... À notre insu, Lee avait demandé à la compagnie de téléphone de brancher ses appels locaux (Omaha) sur « ma» ligne.

Les clients de la A.F.I.C. se remirent à m'appeler. Acculée au mur, je fis changer mon numéro, ce qui ennuya fort mes parents et mes amis. Toutefois, ceux qui en souffrirent le plus, ce furent les clients de la A.F.I.C.

Par suite de l'erreur de l'ordinateur, leur appel aboutissait à l'ancien numéro de Lee. La compagnie de téléphone leur donnait alors notre ancien numéro. Un autre appel parvenait alors à notre nouveau numéro; je m'empressais de leur annoncer l'erreur de numéro.

Grâce à de nouvelles démarches, nous avons réussi à supprimer tout cet enchevêtrement et à annihiler la ligne de Lee.

Pour simplifier encore davantage, nous avons renoncé à la ligne des jeunes. Décision dramatique qui provoqua d'innombrables protestations de la part de nos adolescents. Mais c'était le seul moyen, pour nous, d'éviter la banqueroute. D'ailleurs, sur la ligne des jeunes on relevait les interurbains à leurs cousins, les appels transcontinentaux à leurs idoles du cinéma ou de la télévision, sans compter des appels à la fois coûteux et stupides. Ainsi les 47 appels en un mois à une petite ville de la Nouvelle-Angleterre, toujours au même numéro. Une longue enquête de la compagnie nous révéla qu'après avoir signalé ce numéro, on entendait les dix premières mesures d'une chansonnette extrêmement populaire.

À la suite de la suppression de la ligne des jeunes, la mienne fut surchargée. Nos parents et nos amis se plaignirent de ne pouvoir nous atteindre. Nous nous sommes alors abonnés à un nouveau service, ultra-moderne à l'époque: la « Call Waiting Line». Grâce aux nouveaux appareils, on pouvait savoir, au cours d'une conversation téléphonique avec une première personne, qu'une seconde voulait nous joindre. On entendait alors un déclic sonore spécial. On s'excusait auprès de la première personne, en la priant de rester à l'écoute. On pressait le bouton HOLD (en attente). On passait à la seconde. On s'expliquait. On recommençait le petit jeu du bouton HOLD. Et l'on revenait à la première personne.

Nos parents et amis continuant à se plaindre, nous avons mené une petite enquête. Nos jeunes abusaient de la belle invention. Ainsi Annie répondait à un premier garçon, le plaçait sur le «hold» et bavardait avec un second sur la deuxième ligne.

Mécontente, frustrée, je dis à mon mari:

— Il faut faire quelque chose. Nos parents et amis ne peuvent plus nous atteindre. C'est déjà vexant. Le pis: mon éditeur ne parvient plus à me parler. Je ne puis pas faire carrière comme écrivain et conférencière si les éditeurs et les organisateurs ne peuvent pas me téléphoner. Peut-être faudra-t-il redonner leur ligne aux jeunes.

— On va faire mieux que ça, dit mon mari. On va te donner une ligne privée pour toi tout seule. Ton numéro ne paraîtra pas dans l'annuaire. Tu le donneras à un nombre restreint de personnes. Seules, ces personnes pourront t'appeler. On défendra aux jeunes de se servir de cette ligne. D'ailleurs, encore une fois, le numéro demeurera ultra-secret.

— Merveilleuse idée! dis-je. Enfin une solution adéquate.

Et ainsi fut fait. Tout marcha sur des roulettes... bien huilées. Dès que le téléphone «rouge» sonnait, je me précipitais.

Lundi dernier, le timbre des «affaires importantes et urgentes» retentit. J'étais certaine d'entendre mon éditeur au bout de la ligne. Dans ma hâte, j'échappai une douzaine d'oeufs. J'enjambai le dégât et je saisis l'écouteur.

Ce n'était pas mon éditeur. C'était Patrick.

— Patrick! dis-je furieuse. Qu'est-ce que tu fais sur cette ligne-ci?

— Je te parle, dit-il, avec un calme désarmant.

— Comment se fait-il que tu saches mon numéro super-privé?

— Je l'ai su par hasard. L'autre jour, j'étais à la cuisine. Tu étais ailleurs. Ton téléphone sonna. Je répondis. J'entendis une voix dire: «Est-ce bien le 556-8019? Ici le poste de radio KOIL. Connaissez-vous le mot secret?» Je répondis: Non, mais, grâce à vous, je connais maintenant le numéro secret de ma mère».

— Pourquoi ne m'as-tu pas appelé sur la ligne ordinaire?

— C'est parce que je savais que, sur «ta» ligne, tu répondrais plus vite. J'étais pressé. Le principal de l'école doit revenir d'une minute à l'autre dans son bureau d'où je t'appelle... Sais-tu quel jour c'est, aujourd'hui, maman?

— C'est mardi! soupirai-je.

— C'est aussi ton anniversaire de naissance, maman. Bonne fête! Je t'aime! Il faut que je te laisse. Bonjour!

23
Les amours de Mimi

De ce temps-ci, tout le monde à la maison s'inquiète de Mimi.

Nous considérons Mimi comme membre de la famille. Elle en est l'élément le plus gai. Toujours dynamique, joyeuse, pleine d'allant, elle ne laisse jamais longtemps l'un de nous broyer du noir. Quand quelqu'un chez nous est malade, triste ou mélancolique, elle s'emploie à lui remonter le moral en lui prodiguant beaucoup d'amour et en multipliant, pour le faire rire, cabrioles, singeries, gambades et bouffonneries. Ceci, jusqu'à ces derniers temps. Maintenant tout a changé. Mimi elle-même est victime d'une grande tristesse. C'est que son amoureux l'a laissée tomber.

Quand le joli soupirant arriva chez notre voisin d'en face, je devinai tout de suite que nous aurions des ennuis. Dès sa première visite de bon voisinage, le mécréant n'avait d'yeux que pour Mimi. De son côté, — c'était visible —, notre Mimi l'admirait passionnément. Ce fut le coup de foudre réciproque.

J'essayai de mettre Mimi en garde:

— J'ai l'impression, lui dis-je, que ce gars-là est plutôt volage.

Mais le coeur de l'amoureuse était déjà conquis. Il n'y avait plus aucun espoir de la raisonner. Bientôt, le couple s'abandonna joyeusement aux délices d'une scandaleuse aventure qui fut, hélas, aussi brève que passionnée.

À peine le voyou se fut-il gorgé de « ce qu'il voulait», qu'il rompit avec notre pauvre Mimi, la laissant avec un coeur brisé... en plus de ce que vous devinez.

Malgré les apparences, cette histoire n'est ni choquante ni tellement triste. En effet, la «tragique héroïne» n'est pas une personne humaine mais une caniche. Cette mise au point était nécessaire. Mais je répète que Mimi était si intelligente, si affectueuse, si loyale que nous l'aimions et partagions ses peines et ses joies.

L'aventure amoureuse de Mimi nous prit par surprise. Tout au long des années, pas une seule fois, nous ne l'avions vu céder à ses instincts sexuels.

À son adoption, Mimi avait six mois. On nous assura alors qu'elle était un animal de race. Et je me suis permis de rêver à la fortune que nous apporterait la vente de sa progéniture. À cette époque-là, il y avait un engouement pour les caniches. En conséquence les chiots se vendaient cher. Avec le profit réalisé sur une portée entière, on pouvait payer une année de cours à un collégien.

Toutefois, quand Mimi fut d'âge d'«entrer en affaires», elle s'obstina à ne pas coopérer. En vain, lui avons-nous présenté les séducteurs les plus roués. Elle les dédaigna tous. Elle repoussait leurs avances avec un grognement aristocratique. Levant le nez très haut, elle avait l'air de dire: «Je n'ai pas l'intention de contribuer à une surpopulation.»

Mimi choisit donc le célibat. Probablement pure dans ses pensées, elle ne l'était pas pour autant dans son passé ancestral. Quelque part le long de son ascendance, un teckel avait dû grimper sur un arbre généalogique ou plutôt avait dû se glisser dans une niche accueillante. À cause des gènes reçus de son aïeul teckel, Mimi avait un corps trop long pour être jolie. Avouons-le, elle était carrément laide.

Est-ce ce manque de charmes physiques qui la poussa à vivre en recluse? J'en doute. Je croirais plutôt que son sang Arien lui donna un complexe de supériorité. Et c'est pour cela qu'elle considérait tous ses soupirants comme de sales phallocrates, indignes de ses faveurs.

Tel fut le comportement austère de Mimi... jusqu'à l'arrivée de Chi-Chi.

Chi-Chi était un petit chihuahua, acquis par nos voisins d'en face. Comme je l'ai déjà dit, dès sa première visite, il séduisit notre célibataire endurcie. Au grand chagrin de nos voisins, au grand plaisir de nos jeunes, les jeux, les gambades et les tirailleries se transformèrent bien vite en une liaison passionnée. Mimi et Chi-Chi n'avaient aucune pudeur. Ils vivaient leur aventure sur notre pelouse avant, dans notre cour arrière, au milieu de l'allée, au milieu du jour et au milieu de la nuit.

À l'instar de beaucoup de jeunes d'aujourd'hui, Chi-Chi ne respectait aucun horaire. Il lui arrivait de venir chercher Mimi aux petites heures de la journée. Quand, sautillant sur le porche, Chi-Chi se mettait à moduler ses gémissements amoureux, Mimi se mettait à tourner autour de notre lit, toute énervée. Par de petits jappements, elle semblait dire: «J'ai une envie folle de rencontrer mon petit ami. Venez donc m'ouvrir la porte.»

Nuit après nuit, mon mari bougonnait:

— Si tu laisses sortir cette dévergondée, je vous tue tous les deux.

À quoi, je répondais:

— Allons! Allons! Mimi est trop vieille pour devenir enceinte!

À quoi, il répliquait, du tac au tac:

— J'ai déjà entendu quelque chose de semblable et j'ai été assez fou pour y croire. Laisse la porte bien fermée!

Mais j'aime les romances. À mon avis, on devait permettre à Mimi une suprême folie avant la vieillesse. Donc, sous prétexte de la conduire au sous-sol, je descendais au rez-de-chaussée et je laissais Mimi courir vers son amoureux. En secret, je préférais ces rencontres nocturnes aux ébats diurnes.

Au début de la liaison, Patrick me demanda:

— Qu'est-ce que ce chien laid fait à Mimi?

Puis, les jours suivants, il me criait:

— Eh! Maman! Viens voir! Ils sont encore à *le* faire!

Comme on s'y attendait, l'inévitable arriva. « Sale phallocrate », Chi-Chi, une fois régalé et repu, abandonna Mimi, la laissant se débrouiller seule. Car elle n'était pas si vieille que je le croyais. Elle était enceinte.

Le fait n'avait rien de tragique. Un problème se posait quand même. Comme souvent en pareilles circonstances, le difficile fut d'annoncer la nouvelle au chef de la maison. (Vous vous souvenez que nous considérions Mimi comme membre de notre famille.)

Je me rappelai que, dans le passé, mon mari avait toujours accueilli avec une paisible résignation l'annonce (annuelle) de l'arrivée prochaine d'un nouveau bébé. Mais il s'agissait alors de bipèdes qui, au moins, allaient alléger le fardeau de l'impôt sur le revenu. Mais comment annoncer un heureux événement au sujet de quadrupèdes qui, eux, ne seraient pas déductibles?

En fait, je n'eus pas à faire cette pénible annonce, car l'heureux événement survint plus tôt que je n'avais prévu.

J'ignorais combien il fallait de temps pour faire un chiot. Je croyais que la grossesse canine durait aussi longtemps que la grossesse humaine. Aussi fus-je la plus surprise du monde quand, au bout de trois mois, Mimi mit bas.

Je me trompe. Quelqu'un fut encore plus surpris que moi: mon mari.

Par suite de sa forme allongée et de son poil broussailleux, Mimi n'avait guère laissé paraître dans quel état « intéressant» elle se trouvait. En conséquence, mon mari ne soupçonnait même pas que notre groupe familial allait s'accroître subitement. La nouvelle lui sauta en quelque sorte à la figure un matin qu'il ouvrit son placard pour y prendre une chemise propre. Il s'écria:

— Teresa, que diable Mimi fait-elle dans mon placard? Teresa, que diable Mimi fait-elle?»

Que faisait-elle? Elle mettait au monde quatre beaux chiots.

Mon mari marchait d'un pas lourd d'un bout à l'autre de la chambre, furieux, excité, protestataire. Alertes par le bruit de nos voix, les enfants arrivèrent et assistèrent au plus miraculeux de tous les phénomènes: un animal donnant naissance à des petits. Pour mes jeunes, citadins depuis toujours, c'était une expérience spectaculaire. Même mon mari finit par se laisser prendre par l'émouvant spectacle. Que c'était beau de voir notre Mimi, jusqu'alors pétulante, vive, taquine, éternelle adolescente, devenue soudain une maman adulte, paisible, patiente, souffrant en silence, se préoccupant de chacun de ses petits, les nettoyant, les embrassant et les protégeant contre nous.

Vers la fin de l'après-midi, nous parvînmes à attirer la nouvelle maman hors du placard et à la placer, avec ses bébés, dans une boîte garnie de flanelle qui devait leur servir de home durant les prochaines semaines.

Ce furent des semaines débordantes de plaisirs. Les chiots s'éveillaient tranquillement à la vie, ouvrant leurs yeux minuscules, bâillant, s'occupant à boire, à dormir, et à rien d'autre. Puis, ils se mirent à grimper hors de leur boîte, à jouer entre eux et avec les enfants. Nous nous attachions à ces petits si mignons.

Mais ils souillaient les tapis! Mon mari insistait alors: « Il faut qu'ils partent!» Je ne sais trop pourquoi, car je ne l'ai jamais vu réparer les dégâts. Mais dès que les bébés furent sevrés, je fus d'accord pour qu'on leur cherche des foyers adoptifs. J'avais déjà à prendre soin d'une grande maison, de dix enfants, de deux chiens et d'un mari. Je ne pouvais vraiment pas m'occuper, en plus, de quatre «chihuaniches». (Comment appeler autrement des chihuahuas-caniches?)

J'appris bientôt une vérité peu connue: il est plus facile de se débarrasser d'un mari que d'un chiot... et, pour un moment, je crus être forcée de prendre la route la plus facile. Contrairement aux caniches de race, leurs descendants au sang mélangé ne sont pas en demande.

Après maintes supplications, notre femme de ménage accepta l'un des bébés. J'en plaçai un deuxième entre les bras de mon jeune filleul, malgré les protestations de ses parents. Le troisième, vite écoeuré de sa vie de chien, décida de partir pour le paradis canin. Restait le quatrième, le plus laid du lot.

En vain, nous essayâmes de le refiler aux moines de l'abbaye Saint-Michel, et à ma mère.

Est-ce que les bonnes soeurs accepteraient un chiot dans leur couvent?

— Nous ne vivons plus au couvent, dirent-elles, mais en appartement. Et notre propriétaire interdit la présence de tout animal.

Notre curé aurait accepté le petit dernier. Ses vicaires s'y opposaient. Pour nous accommoder, le cher homme nous proposa une solution. Et c'est ainsi que le quatrième petit de Mimi devint le premier prix d'un tirage au bénéfice des missions. Il partit dans les bras de la gagnante, une fillette ravie de son acquisition.

Patrick, lui, brailla tout le long du chemin de retour à la maison. Il venait de perdre son meilleur ami. Peu charitables, ses frères et soeurs nous reprochèrent de n'avoir pas ajouté Patrick au chien comme prix du tirage.

Même mon mari regretta les joyeux aboiements et les finesses des chiots. Il consentit même à ce que Mimi ait une nouvelle portée.

Un joli caniche, de pure race, venait justement d'arriver dans le voisinage. Comme Perrette, je me remis à rêver d'une fortune acquise rapidement. Et je m'arrangeai pour organiser un rendez-vous.

L'invité fut des plus gentils. Mimi ne le fut pas. Elle avait dû renouveler son voeu de célibat. Plus jamais de ces folies! Peut-être garde-t-elle une nostalgie de Chi-Chi. Plus probablement trouve-t-elle qu'une famille de quatre, «c'est assez, merci».

Quoi qu'il en soit, elle n'est plus la même vieille et gaie Mimi. Sa joie de vivre est disparue, son aboiement s'est fait dramatique, ses moments de triste méditation se multiplient. Je ne la comprends plus.

Un matin, mes jeunes l'invitèrent à reprendre son poste de troisième but dans leur équipe de baseball. Elle refusa.

— Je sais pourquoi Mimi est triste, me dit Tim à cette occasion.

— Pourquoi?... Question de vieillesse?

— Non!... C'est parce que ses enfants sont partis. Ne seras-tu pas malheureuse, maman, quand nous aurons tous quitté la maison?

24
Notre Marine

« Des palais de Montezuma aux rivages de Tripoli», clament les Marines dans leur célèbre chant de combat.

Rien d'impressionnant là-dedans! N'importe qui peut aller des palais de Montezuma aux rivages de Tripoli. Ce n'est pas là un haut fait. Pourquoi s'en vanter?

Il vaudrait mieux parler de la pire bataille qu'un Marine eût jamais à livrer, celle qu'il mena contre sa mère, dans la cuisine de son chez-lui, le jour où il lui annonça:

— Je vais m'enrôler comme Marine.

La toute première fois que mon fils Jim employa cette formule, je ne m'inquiétai pas trop, en dépit du fait qu'il se disait prêt à quitter l'école pour réaliser son rêve. Je me disais: «Même le plus fanatique des recruteurs hésitera à accepter un jeune de cinq ans qui n'a même pas terminé sa maternelle.»

La vive admiration de Jim pour les Marines se continua au cours élémentaire. Il couvrit les murs de sa chambre d'affiches proclamant les gloires de ce Corps d'armée. Le samedi après-midi, on le voyait rôder aux environs du bureau de recrutement. Quant au Pentagone, il fut inondé de lettres demandant des renseignements supplémentaires sur les Marines.

Au secondaire, la passion de Jim pour les Marines fut temporairement supplantée par une fascination irrésistible à l'endroit d'un groupe encore plus séduisant: les filles. Le samedi après-midi, au lieu de tourner autour du bureau de recrutement, il se promenait près de la maison d'une jolie fille... et y entrait. Des plans pour l'avenir? Bah! L'essentiel était de jouir d'un si agréable présent.

Mais un jour, peu après son dix-huitième anniversaire de naissance, Jim arriva en coup de vent dans la cuisine et déclara sur un ton de triomphateur:

— Allô, maman!... Devine ce que j'ai fait aujourd'hui.

— Tu es allé en classe comme d'ordinaire, je suppose. Ton tuteur vient de me téléphoner... Il paraît que tu as manqué le cours de chimie, ce matin. Où étais-tu?

— Voilà justement ce dont j'aimerais te parler. Je perds mon temps à ce cours de chimie. Je n'aime pas la chimie. Je ne me servirai jamais de la chimie. Et je prévois échouer à l'examen.

Je repris, nerveuse:

— Mais il faut à tout prix que tu réussisses cet examen! Tu as besoin de ces crédits-là pour obtenir ton diplôme.

Au mot diplôme, un lourd silence s'installa dans la cuisine.

— Ne veux-tu pas l'avoir ce diplôme? dis-je.

— Je veux l'avoir et je l'aurai... Mais pas à Westside... C'est ce que j'ai commencé à te dire... à propos de ce que j'ai fait aujourd'hui.

À ce moment-là, je sus! Jim n'en avait pourtant pas parlé depuis des mois. Mais je savais! Plusieurs détails insolites m'avaient mis la puce à l'oreille: La réapparition graduelle des affiches exaltant la gloire des Marines; l'abondant courrier militaire et les appels téléphoniques de gens dont la voix était trop grave pour appartenir à de jeunes camarades. Les recruteurs avaient finalement accepté l'ancien garçon de la maternelle, désireux de répondre à leur appel.

— Maman, dit-il, ce matin même, j'ai signé mon engagement dans le Corps des Marines, de l'Armée américaine.

Et, ne pouvant plus contenir sa joie et son enthousiasme, il s'écria:

— Maman! Depuis ce matin, je suis un Marine! Je passe mon examen médical samedi et je pars pour San Diego le vingt-cinq... Ne te fâche pas, maman! Ne te fâche pas alors que je suis si heureux.

Sur ce, j'éclatai en sanglots. Je passai les six jours suivants à pleurer comme une hystérique. Pour essayer de me consoler, mon mari téléphona — en vain — au sergent recruteur, au capitaine et même au commandant. Tous lui déclarèrent qu'il n'y avait rien à faire. Les papiers officiels étaient signés et contresignés. Jim était Marine et devait le demeurer jusqu'à la fin de son engagement.

Que Jim fût légalement encore un mineur était sans rapport avec la question, d'après ces messieurs aux galons dorés sur tranche.

Au cours de l'un de mes appels au colonel, je lui dis:

— Toute cette affaire n'a aucun bon sens. Pas plus tard que la semaine dernière, j'eus à donner par écrit la permission à Jim de participer à un tournoi de football. La semaine précédente, j'eus à signer une requête pour qu'il puisse utiliser le tremplin de l'école. Allez-vous soutenir qu'un garçon qui a besoin de la signature de ses parents pour de telles bagatelles, puisse, sans leur permission et même à leur insu, s'engager pour quatre ans dans les forces armées?

— C'est peut-être déraisonnable, dit le colonel, mais c'est ainsi et je n'y peux rien.

— Mais Jim n'a même pas encore terminé son école secondaire, dis-je à travers mes larmes.

— Il va la terminer, dit le colonel. Je vous promets que Jim obtiendra son diplôme en bonne et due forme.

Malgré tout, je demeurais inconsolable. Mes seules connaissances sur les Marines venaient de ce que j'avais vu au cinéma. Jeunes et beaux, ils arrivaient en rangs serrés sur une plage, quelque part dans le vaste monde. Ils y étaient fauchés à la mitraillette par des ennemis invisibles. Ils tombaient la face dans la boue. Bientôt la mer, impassible, recouvrait leurs cadavres ensanglantés. À moins que... ces pauvres enfants ne puissent même pas se rendre jusqu'à une plage lointaine parce que *mortellement* atteints dans leur corps et dans leur âme au cours de l'entraînement de base. Je frissonnais d'horreur et d'appréhension au souvenir du film où Jack Webb, en instructeur sadique, torturait physiquement et mentalement les recrues au point que plusieurs de ces garçons expiraient littéralement à ses pieds. (J'ai vu d'autres films, ceux-là exaltants, avec ce gentilhomme qu'était John Wayne comme héros. Mais ces visions réconfortantes étaient vite chassées par le souvenir de Jack Webb, bourreau sans coeur, tyran satanique.)

Je me sentis un peu moins angoissée quand Jim reçut, de l'officier responsable, une première série d'ordres. La date de son départ y était indiquée de même que sa destination finale. Le document se terminait par une phrase capable de réchauffer le coeur de toute maman qui a déjà préparé des enfants pour un camp de vacances ou pour le collège.

« La recrue, y lisait-on, devra se présenter sans autres effets personnels que le linge porté ce jour-là. L'argent comptant en sa possession ne devra pas dépasser cinq dollars. »

Voilà qui est imbattable!

Je commençais à retrouver mon aplomb quand je reçus un nouveau coup qui m'ébranla. Une lettre nous arriva du camp d'entraînement. Elle n'était pas de Jim, mais de son colonel. (Je ne puis pas me souvenir de son nom... parce que je ne l'ai jamais su.) La lettre était écrite à la machine, mais la signature l'était à la main, sous forme de gribouillis indéchiffrable. Ou le type voulait rester anonyme ou c'était un complet illettré!

L'officier nous souhaitait une cordiale bienvenue à l'occasion de notre entrée dans la grande famille des Marines. La lettre se continuait par des explications destinées sans doute à apaiser nos craintes au sujet du camp d'entraînement. On nous y disait à peu près ceci: «Vous recevrez sous peu une lettre de votre fils. Ne prenez pas au pied de la lettre ce qu'il vous racontera. La plupart des recrues réagissent de façon excessive aux exercices qui leur sont imposés. Plusieurs condamnent les façons de procéder des sergents-instructeurs. D'autres parlent d'injustices et de mauvaise traitements. Presque tous sortent de leur contexte les critiques faites pour leur bien. Nous vous l'assurons, les méthodes en cours chez les Marines feront un homme de votre garçon et, peut-être, un jour, lui sauveront elles la vie.»

Si le colonel pense que les recrues sont portées à réagir de façon excessive, il devrait compléter ses informations en assistant aux réactions des mères de Marines. Moi, en tout cas, avant même d'arriver à l'illisible signature, j'étais déjà décidée à téléphoner à notre représentant au Congrès, au Secrétaire de la défense, au Président des États-Unis, et même à Jack Webb.

— Minute! dit mon mari. Il y a une lettre dans la pile. Elle est de Jim. Voyons ce qu'il dit.

Le colonel avait raison. Jim avait réagi de façon excessive, mais pas dans le sens prévu par l'officier responsable.

Au troisième jour de son entraînement, Jim écrivait:

— C'est emballant!... On n'arrête pas, et c'est dur. Mais je ne me suis jamais senti aussi bien. J'ai vraiment choisi une très belle carrière. Bien sûr, tout n'est pas rose. Les sergents-instructeurs nous engueulent tout le temps.

(Parfois je me crois revenu à la maison!) Mais l'un d'eux a laissé tomber son masque pour un moment et m'a affirmé que j'avais l'étoffe d'un authentique Marine.

Une seule phrase de la lettre indiquait que peut-être Jim était fatigué au point d'avoir des hallucinations:

— Il faut se lever très tôt le matin, écrivait-il. En compensation, le menu du petit déjeuner est formidable.

Après trois années chez les Marines, quand Jim nous est revenu, il avait de bonnes habitudes que son père et moi-même admirons encore et que ses frères et soeurs n'acquerront probablement jamais. Il savait: faire son lit; ranger ses vêtements; peler des patates et écrire à ses parents.

Néanmoins, l'entraînement de Jim fut déficient sous maints aspects. Aussi, je me permets ici quelques suggestions aux chefs d'état-major, en demandant qu'elles soient incorporées dans tout manuel militaire.

1. — On devrait rappeler aux soldats qui téléphonent à leurs parents par interurbain, un fait très simple mais qu'ils semblent oublier: au-dessus de l'appareil il y a de petites fentes destinées à leur usage. Quand on introduit des pièces de monnaie dans ces fentes, on n'a pas besoin de dire à la téléphoniste: «Frais virés, s'il vous plaît».

2. — Aux militaires en garnison ou en station hors des États-Unis, on devrait rappeler périodiquement l'existence des fuseaux horaires. Par exemple, un Marine consultant sa montre avant de faire un appel téléphonique, se souviendrait que s'il est dix-neuf heures là où il se trouve, il est deux heures du matin pour sa maman. Si le téléphone sonne à la maison au milieu de la nuit, la maman ne pourra peut-être pas répondre. Elle risque en effet de mourir d'appréhension dès la première sonnerie. Par ailleurs, de tels appels nocturnes ne disposent guère le

papa à acquiescer à des demandes d'argent... (Et pourquoi le garçon appellerait-il sinon pour demander de l'argent?)

3. — Que le Marine en congé à la maison ne traite pas ses frères et soeurs en esclaves à son service. Ceux-ci connaissent l'article du code militaire qui interdit aux soldats d'harasser les civils, même et surtout, quand ces civils sont des frères et des soeurs.

4. — On conseille au Marine, en congé à la maison, de porter son uniforme de gala aux occasions officielles suivantes: le jour où sa mère reçoit des amies pour un bridge, le soir où son père le traîne à son club pour la grande soirée de l'année, le soir où sa soeur lui demande d'aller la chercher à son association d'étudiantes, l'après-midi où son petit frère reçoit ses copains scouts. Ce qui est simplement recommandé dans les circonstances ci-haut mentionnées devrait être obligatoire quand le Marine rend visite à sa grand-mère.

5. — Dans leurs lettres à la maisonnée, les militaires devraient traiter régulièrement des sujets suivants: les cours collégiaux suivis dans les temps libres, les places historiques visitées, les lointains parents rencontrés, le sermon du dimanche précédent. (Ce dernier point ravira les parents.)

Les sujets à éviter: le saut en parachute prévu pour le lendemain, les leçons pratiques sur la manière de manipuler des explosifs, les records en consommation de bière établis à Hong-Kong, les belles filles des îles du Pacifique qui rôdent autour des casernes et qui offrent de faire la lessive des soldats... ou autre chose de plus plaisant.

Je ne désirais d'aucune façon devenir la mère d'un Marine. Cependant, après avoir lu les nombreuses lettres de Jim, rencontré ses camarades et leurs familles et connu davantage les fonctions du Corps des Marines, j'avoue être fière de mon titre de «Mère d'un Marine».

Je pense que ma liaison amoureuse avec le «*Corps*» a commencé le jour de la graduation de Jim, à la fin de son entraînement. Son père et moi étions invités à cette cérémonie à San Diego... J'ai rarement éprouvé des émotions aussi fortes.

C'était par une splendide matinée de juin, alors que la Californie du Sud était éblouissante. Après une intéressante visite du camp, nous, les parents des gradués, nous fûmes réunis dans un auditorium où un film nous renseigna sur le rigoureux entraînement que nos fils venaient de terminer.

Après le film, on nous présenta aux sergents-instructeurs, aux chefs de sections et au commandant de la compagnie. Ce dernier, dans un bref discours, se vanta sans vergogne de ses hommes qui, si peu de temps auparavant, étaient encore «nos petits garçons».

Après la collation des grades, les nouveaux Marines défilèrent, saluèrent le drapeau tandis qu'une fanfare jouait le chant de bataille du «Corps» et l'hymne national.

Au commandement final «Rompez les rangs!», les jeunes soldats à la face impassible et au dos rigide redevinrent en un instant des gamins décontractés, sautant de joie, se félicitant les uns les autres, puis courant vers leurs parents et amies pour d'affectueuses accolades.

Et voilà qu'après tant de pleurs, de tristesse, je versai d'autres larmes, mais de joie et de fierté parce que mon fils était devenu l'un de ceux qui se proclament «Les élus, Les fiers, Les Marines!»

25
Contre la télévision?

— Comment se fait-il, me dit mon garçon, que tu détestes à ce point la télévision?

C'était samedi dernier et je venais de fermer l'appareil. J'avais même émis une suggestion: «Tu pourrais t'occuper de quelque chose de plus intelligent, comme, par exemple, sortir les poubelles: les éboueurs passent aujourd'hui».

J'ajoutai:

— Je ne déteste pas la télévision quand elle présente des programmes valables. Celui que tu regardais était d'une insignifiance lamentable.

— D'accord!... Mais j'attendais: dans une dizaine de minutes, il va y avoir quelque chose de passionnant.

Je feuilletai l'horaire-télé.

— Dans dix minutes? dis-je. Encore une reprise! Tu as déjà vu ça deux ou trois fois. Tu perds ton temps.

— Chère maman, comment peux-tu condamner la télé alors que tu ne la regardes jamais?

— Je la regarde assez pour savoir que tu la regardes trop, dis-je. Comment peux-tu affirmer que je ne la regarde jamais?

— Parce que, l'été dernier, quand deux cent millions d'Américains se demandaient: «Qui a tué J.R.?», tu m'as posé cette incroyable question: «Qui est J.R.?».

— Le fait de ne pas suivre la série «Dallas» peut, à tes yeux, m'enlever presque ma citoyenneté américaine. Mais cela ne m'empêche pas d'être bien informée. Je sais par exemple que les télé-théâtres les plus récents sont quasiment tous des navets.

— Comment peux-tu parler ainsi? répliqua mon fils. L'autre jour, tu faisais l'éloge de celui que tu appelais «mon artiste préféré de la télé». Je puis te certifier, chère maman, que ton artiste préféré n'est pas apparu sur le petit écran depuis au moins cinq ans.

J'admets ne pas être une passsionnée de la télé. C'est peut-être que j'ai été élevée, avant la télé, dans un monde où la radio régnait en impératrice absolue. A cette époque, nous écoutions certains romans-feuilletons avec la même intensité d'attention et d'émotion que mes enfants s'attachent aux héros et aux héroïnes de «Dallas», «M.A.S.H.» et compagnie. Ma mère n'essayait pas de contrecarrer mon amour de la radio pour la simple raison que la radio possédait une qualité qui manquera toujours à la télévision: on n'avait pas à regarder constamment l'appareil. Nous pouvions écouter un programme et nous y intéresser passionnément, tout en faisant autre chose. En écoutant, on pouvait ranger sa chambre, laver la vaisselle, nettoyer le plancher de la cuisine. Nos enfants, eux, ne peuvent aider aux travaux du ménage pour la bonne raison qu'ils sont rivés à la télé.

Je n'aime pas l'admettre, mais je suis assez vieille pour avoir assisté aux débuts de la télé. Peut-être mes préjugés défavorables remontent-ils à cette époque lointaine.

Au commencement, les appareils étaient dispendieux et seuls les riches pouvaient s'en procurer. Quand les gens de classe moyenne purent se payer ce luxe, je ne demeurais déjà plus à la maison, sauf pour les vacances. J'étais pensionnaire dans un couvent où les religieuses venaient tout juste d'admettre la radio et les tourne-disques. La télé était encore bien loin, à l'horizon.

Diplômée, je déménageai dans un petit logis avec deux compagnes. L'une d'elles possédait un appareil d'occasion. C'est alors seulement que je fis vraiment connaissance avec la télé... et ce premier contact fut très désagréable. Non que les programmes fussent ennuyeux! Au contraire, ils étaient plus captivants que ceux d'aujourd'hui. Et là même résidait le problème. Ils étaient trop intéressants. Le samedi soir, nos *cavaliers*, n'ayant pas voulu manquer «le spectacle des spectacles», arrivaient trop tard pour que nous assistions aux premiers épisodes d'un film dans un cinéma ou aux premiers morceaux joués par l'orchestre de danse, dans un cabaret.

Malgré les artistes populaires de la télé de cette époque, ces concurrents redoutables, je réussis à me marier. Mais, à l'encontre des jeunes mariés d'aujourd'hui, mon époux et moi n'avons pas inclus un appareil de télé parmi les articles prioritaires de notre ameublement. En fait, nous avions déjà vécu trois années heureuses en ménage quand entra dans la maison notre premier appareil. Et encore! Nous le devions à la générosité de ma belle-mère. Cette chère femme, nous l'avions faite grand-mère trois fois en trois ans. Je la soupçonne de nous avoir donné ce présent pour nous suggérer discrètement de regarder surtout les programmes tardifs.

Alors commença mon antipathie de toujours contre la télévision. Non qu'elle eût mise en péril mon mariage, comme vous le pensez peut-être. La preuve? Au cours des neuf années qui suivirent, nous accueillîmes sept autres enfants.

Mon mari ne s'est jamais intéressé vraiment à la télé. Je ne l'ai jamais vu regarder une partie complète de championnat de football. Une fois même, il s'attira le mépris cordial de nos enfants. Nebraska jouait contre

Oklahoma. Partie décisive. Dernières minutes de jeu. Pointage égal... Et le papa s'endormit!

Une exception confirme la règle: je reconnais avoir partagé l'admiration inconditionnelle de mes enfants pour « Le Capitaine». Comique, ingénieux, spirituel, entouré de personnages sympathiques, le Capitaine a exercé sur mes enfants un envoûtement qui dure encore aujourd'hui. Ils ne savaient pas encore parler que je les installais devant l'appareil. Et ils gazouillaient, répondant à leur manière aux personnages qui se déplaçaient sur l'écran.

Quand l'un des enfants arrivait à l'âge scolaire, je l'inscrivais aux cours de l'après-midi à la maternelle. Ainsi ils pouvaient continuer à suivre leurs programmes du matin.

Vers l'âge de douze ans, chacun, à tour de rôle, changeait de goût et d'allégeance. Ils passaient des programmes d'enfants et de dessins animés aux séries policières.

Un soir, à son retour à la maison, mon mari trouva la marmaille collée à télé. Ils étaient en train d'admirer une espèce de sirène blonde qui se frayait un chemin à coup de poing et à coup de pied pour s'échapper d'un repaire où des gangsters la tenaient en otage.

Leur père demanda aux jeunes:

— Depuis quand êtes-vous autorisés à regarder « L'escouade des moeurs»? Qui vous en a donné la permission?

L'un des petits répondit:

— Maman!... Demande-lui!

N'en croyant pas ses oreilles, mon mari vint à la cuisine.

— As-tu dit aux enfants qu'ils pouvaient regarder « L'escouade des moeurs»?... Surveilles-tu, au moins un peu, leurs choix de programmes?

— Bien sûr! Je viens justement de les faire changer

de canal. Ils étaient en train de subir un pernicieux lavage de cerveau avec « Quelle famille!»

— Alors, dit-il, tu préfères « L'escouade des moeurs» à « Quelle famille!» ? J'ai peine à le croire. « Quelle famille!» est un si merveilleux programme pour tous, un programme vraiment familial.

Je rétorquai:

— Merveilleux? Peut-être. Familial? Pas du tout! C'est un perpétuel plaidoyer en faveur de l'anarchie!

— Comment cela? demanda-t-il.

— Les jeunes y ont toujours raison et les mamans toujours tort. De plus, le père ne travaille pas.

— Qu'est-ce qui te fait dire cela?

— Parce qu'il est toujours *là,* dis-je. Quand les enfants reviennent de l'école, le père les accueille et prête une oreille complaisante à leurs doléances, surtout à leurs plaintes contre les professeurs. Et où la mère se trouve-t-elle, la plupart du temps? Dans la cuisine en train de nettoyer les taches de moutarde sur le réfrigérateur? Non! En bas, au sous-sol, essayant de savoir pourquoi la lessiveuse dévore les chaussettes? Pas plus! Où est-elle alors? Assise sur un sofa dans le vivoir, maquillée avec goût et habillée à la dernière mode, elle échange des mots d'esprit avec son mari. Elle, non plus, ne travaille pas. En regardant un tel programme, nos enfants se mettent peu à peu à croire que les parents normaux n'ont rien à faire, sinon à jouer le rôle de parents.

— Je ne te comprends pas, dit mon mari. Qu'es-tu à part d'être parent?

— Je suis une servante, répondis-je, agitant un torchon de vaisselle sous son nez. Ah! si j'avais à mon service une bonne à tout faire, je pourrais regarder la télé avec les enfants et diriger leurs choix. Prisonnière à perpétuité dans ma cuisine, comment les conseiller à bon escient?

— Tu as raison, dit-il. Il est ridicule de penser que tu puisses courir au vivoir toutes les demi-heures pour contrôler la télé. Il faut trouver une solution.

Il la trouva. Il déménagea la télé à la cuisine.

— Voilà! dit-il tout souriant en installant le téléviseur sur le comptoir dans la cuisine. N'est-ce pas une idée géniale? Étant donné que nos jeunes aiment manger tout en regardant leurs programmes favoris, ce système va garder le vivoir propre, sans miettes de biscuit, sans bouteilles vides de cola.

Il avait raison, le cher homme. Le vivoir se maintint plus propre. Mais la cuisine devint surpeuplée. Je devais me frayer un chemin pour aller et venir et surtout entendre les criailleries de la musique «Folk» et le hurlement des sirènes dans les séries policières.

Plus de miettes sous les coussins du sofa! C'était très bien. Hélas, en revanche, il y avait de la confiture sur notre téléviseur, du lait renversé, des restes de pizza, du maïs soufflé et, en une occasion, une entière platée de foie grillé. Nos jeunes, semble-t-il, ne pouvaient pas prendre un repas ou même un simple casse-croûte, sans renverser, ou pousser quelque chose dans l'appareil.

Mais cette télé n'encaissait pas sans protester. Elle réagissait parfois avec violence. Ainsi quand, par erreur, Tim frappa l'antenne avec sa fourchette, l'antenne lui rebondit en pleine figure. En une autre occasion, alors que Peg nettoyait l'armoire, elle dépassa son but et fouetta le poste avec son linge mouillé; en retour, elle reçut un choc électrique. Mais, c'est Patrick qui lui asséna le coup le plus dur quand il renversa tout un verre de limonade glacée. Notre unique poste récepteur poussa un suprême cri de bataille... et mourut.

Sans télé, nos enfants allaient et venaient, hébétés, comme en état de choc. Ils ne savaient plus que faire pendant leurs heures de loisir. En désespoir de cause, certains se mirent à lire; d'autres, plus désorientés, au bord du déséquilibre mental, firent le ménage de leur chambre. Les plus vieux, encore davantage perturbés, se cherchèrent des emplois à temps partiel. Je sus que la situation en était arrivée à un point inquiétant quand je vis les plus vieux discuter les opinions de Soljenitsyne et les plus jeunes jouer à cache-cache.

Je dis alors à mon mari:

— Avant d'atteindre le point de non-retour, il faut acheter une nouvelle télévision.

— Pourquoi? demanda-t-il. Les jeunes s'en passent volontiers. Et moi, encore plus facilement. D'autant plus que les programmes, cet automne, sont plus insipides que jamais.

— Tout n'est pas mauvais! dis-je. Il y a les grands concerts, les championnats de tennis, les émissions spéciales sur les grands événements. Et puis... les messages publicitaires me manquent!

— Ils te manquent! et il éclata de rire. Pourquoi?

Je répondis, sincère.

— Parce qu'il ne se fait plus rien ici. Tu ne comprends pas les enfants. Pendant des années, ils se sont créés des réflexes conditionnels à la Pavlov. Depuis des années, ils font les travaux de la maison et leurs devoirs de classe pendant les réclames. S'ils n'entendent pas « Nous vous reviendrons après quelques messages», ils ne bougent pas. Ils ne pensent même plus à faire la vaisselle et à ouvrir leurs livres.

Alors, nous avons acheté une télévision, juste à temps. La grève des artistes était en cours et les réseaux repassaient de mélancoliques et tristes reprises.

Épilogue

— Si vous aviez à recommencer, à partir à zéro, sachant ce que vous savez: auriez-vous dix enfants; les espaceriez-vous d'une façon différente ou les élèveriez-vous de la même manière?

Ces questions, on me les a posées des centaines de fois, ces dernières années. En conformité avec mon grand principe que la variété est plus piquante et intéressante que la véracité, j'ai donné des centaines de réponses... dont aucune n'était un oui ou un non.

D'ailleurs, à ce genre de questions, comment répondre de façon catégorique dans un sens ou dans l'autre? C'est un peu comme lorsqu'on nous demande: «Si vous perdiez votre conjoint, songeriez-vous à vous remarier?» Affirmative ou négative, votre réponse risque d'être fausse.

Supposons que je dise: «Oui, si tout était à recommencer, j'aurais dix enfants.» Aussitôt, de tous côtés, on essaierait de me démontrer que j'aurais tort. Les écologistes me signaleraient les dangers du surpeuplement et de la pollution. Les sociologues m'arriveraient avec leurs statistiques sur le chômage et le manque d'écoles. Les économistes me blâmeraient de vouloir mettre au monde des enfants sans avoir assez d'argent pour les nourrir. (Sans jamais avoir assez d'argent, je suis parvenue à ne pas laisser mourir de faim mes dix petits... Alors, allez paître dans les champs, messieurs les économistes!)

D'un autre côté, si je disais: « Non, si c'était à recommencer, je n'aurais pas dix enfants», mes dix se mettraient à me huer copieusement.

En fait, à propos de ce problème, le facteur décisif n'est pas tant « ce que je sais», mais « qui je connais».

Si, par impossible, il était question de revenir vingt-cinq ans en arrière et de commencer à avoir des enfants, je songerais à ce que je sais: les coliques des bébés, les crises de rage des tout petits, les fredaines des écoliers, les folies des adolescents. De plus, je prendrais en sérieuse considération le coût de la vie, l'inflation, la crise de l'énergie. Et je conclurais qu'il est complètement insensé de désirer avoir dix enfants.

En dépit de toutes ces éblouissantes raisons, pensant à « qui je connais», je me lancerais de nouveau, tête baissée, dans la même merveilleuse aventure et je mettrais au monde Lee, John, Michael, Jim, Mary, Dan, Peggy, Ann, Tim et Patrick, parce que je ne peux pas imaginer ma vie sans eux tous. Parce que, justement, ma vie sans eux tous serait tellement misérable! Pour une famille moins nombreuse, il me faudrait en sacrifier. Lesquels? Non! Impossible!... Chacun, chacune m'est indispensable... Il me faut mes DIX.

Est-ce que je les espacerais différemment? Juste ciel, non! J'ai commencé ma carrière de mère à vingt-six ans. Si j'avais attendu davantage entre chacun, il m'aurait fallu continuer à avoir des bébés jusqu'à l'âge de soixante ans, ou pire encore, je n'aurais pas eu Peg, Ann, Tim et Pat. Quel malheur!

Avoir dix enfants en douze ans ne paraît stupide qu'à celles qui n'ont pas vécu cette expérience. Plus je réfléchis, plus je trouve que l'espacement fut idéal. Tous les petits étaient aux couches en même temps. Tous sur des tricycles en même temps. Tous en route vers l'école en même temps... Pas tout à fait en même temps, mais à l'époque, ça me parut ainsi.

Pendant une dizaine d'années, nous n'avons pas eu à ranger le berceau puis à le ressortir. En permanence, le berceau faisait partie du paysage, de même que la chaise haute, le parc et les jouets mur-à-mur (comme les tapis!)

Pendant les années scolaires, personne n'avait à s'inquiéter d'avoir des balles, des ballons, des patins à roulettes, des patins à glace, des manteaux de printemps ou d'hiver, des costumes pour l'Halloween. Pas de problème, car «il y en a un d'à peu près ta taille» dans la penderie en avant. Je n'avais pas non plus à me recycler pour aider mes écoliers dans leurs leçons et leurs devoirs à la moderne. Il y avait toujours un aîné assez au courant pour donner un coup de main au petit frère ou à la petite soeur en difficulté.

Non! je ne changerais pas l'espacement. C'est plus facile quand c'est annuel!

— Ne sera-t-il pas très dur de voir vos dix enfants partir l'un après l'autre? Que ferez-vous quand le nid sera vide?

Je n'ai qu'une réponse:

— J'aime mieux ne pas y penser...

* * *

Si c'était à recommencer, est-ce que j'élèverais mes enfants de façon différente?

Certainement. J'essaierais d'éviter bien des erreurs.

Ainsi je crierais moins et je montrerais plus de chaleur humaine. Crier n'aboutit à rien, sinon à enrouer la maman. En effet, les jeunes ont des audiomètres qui suppriment automatiquement toute attention chez l'enfant quand la voix maternelle dépasse un certain nombre de décibels. Plus on crie, moins ils entendent.

De la chaleur humaine? Oui, et dans tous les sens du mot.

Ainsi une gentille tape sur la partie charnue d'un petit entêté de deux ans ou encore une accolade affectueuse à un bonhomme de dix ans, après un geste méritoire. Et enfin, une caresse de la joue à un adolescent qui se croit malheureux et incompris.

Eh oui!... mais j'apporterais peut-être des changements dans l'ordre des procédures. Il m'arriverait sans doute plus souvent de serrer contre moi les tout jeunes et de flanquer une bonne taloche aux adolescents.

Si c'était à recommencer, je consacrerais plus de temps à lire de beaux livres à mes enfants, pour les familiariser davantage avec les grands auteurs classiques. Ils se souviendraient de leur mère leur disant autre chose que, par exemple: «Il est temps de te lever!»

Si c'était à recommencer, je ralentirais mon rythme. Je ne me dépêcherais pas tant à nettoyer, cuisiner, laver, réprimander. Je réserverais plus de temps à regarder mes jeunes grandir.

Si c'était à recommencer, je ne dirais plus à mes enfants: «Sors du vivoir! Ne marche pas sur le gazon! Ne sors pas la belle vaisselle! N'emploie pas mes meilleures serviettes!»

Pourquoi m'abstenir de ces interdictions! Tout simplement parce que cette maison est leur maison et que je dois les traiter mieux que n'importe quel invité.

Si c'était à recommencer, je serais davantage avec mes enfants, les écoutant, riant avec eux, les aimant bien fort...

Si c'était à recommencer? Que dis-je là? Ne suis-je pas en train de recommencer toujours, toujours, toujours? La splendide et merveilleuse aventure ne se continue-t-elle pas?